男のシャツの本

嶋﨑隆一郎　Ryuichiro Shimazaki

文化出版局

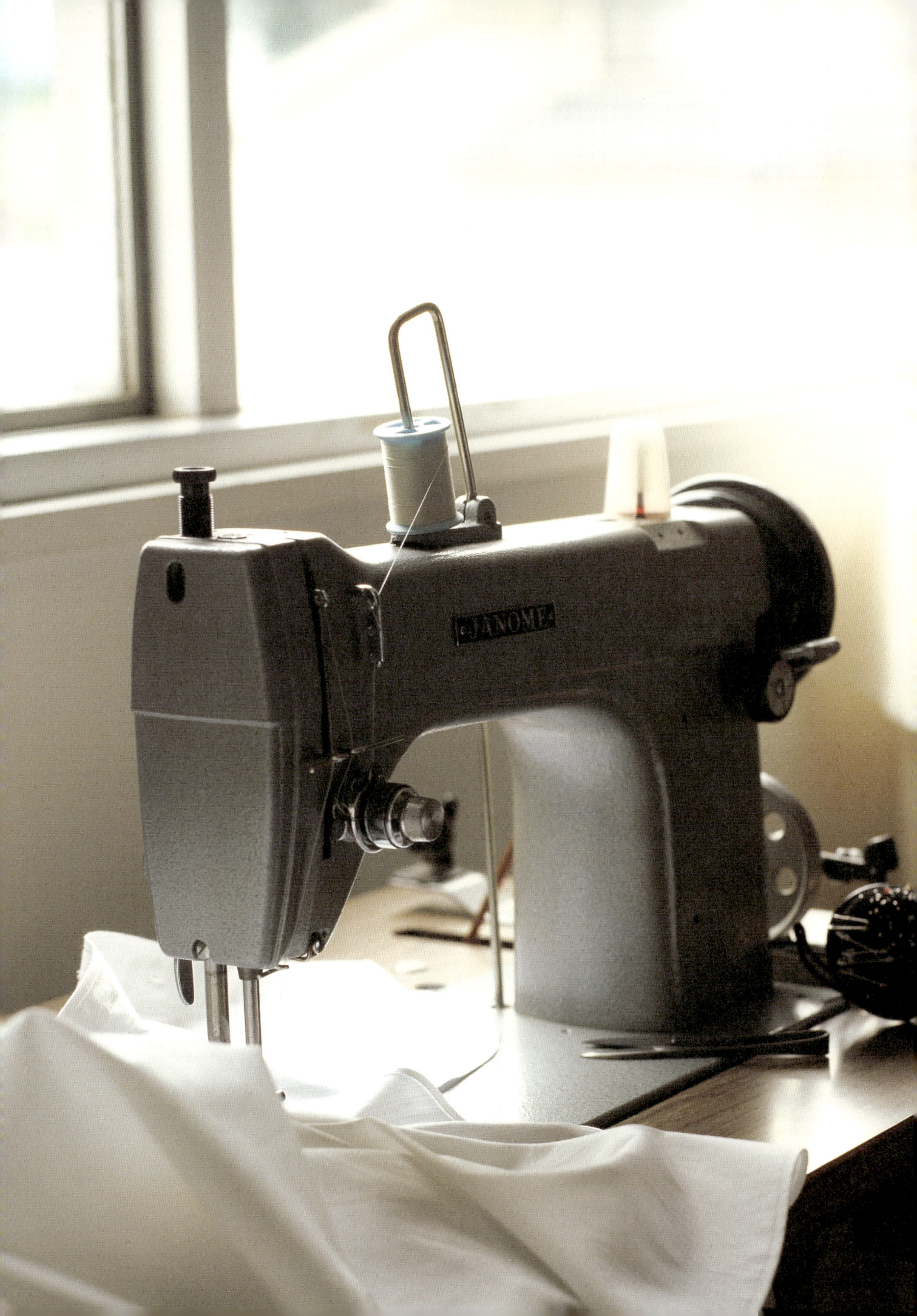
JANOME

Contents

- 4 はじめに
- 10 no.1 レギュラーカラーの白いシャツ (p.58)
  レギュラーカラーのストライプシャツ
- 12 no.2 フライフロントのブラックシャツ (p.62)
- 13 no.3 ボタンダウンのシャツ (p.63)
- 16 no.4 セミワイドスプレッドカラーの白いシャツ (p.64)
  セミワイドスプレッドカラーのストライプシャツ
- 18 no.5 ターンダウンカラーのシャツ (p.65)
  ターンダウンカラーのストライプシャツ
- 20 no.6 ドゥエボットーニのセミワイドスプレッドカラーシャツ (p.66)
  ドゥエボットーニのセミワイドスプレッドカラーシャツ
- 22 no.7 ウィングカラーのフォーマルシャツ (p.67)
- 26 no.8 ワイドスプレッドカラーの白いシャツ (p.68)
- 27 no.9 ラウンドカラーのクレリックシャツ (p.69)
- 28 no.10 イタリアンカラーのボタンダウンシャツ (p.70)
- 30 no.11 レギュラーカラーのカジュアルシャツ (p.71)
  レギュラーカラーのカジュアルシャツ
- 38 no.12 ワンナップカラーの半袖シャツ (p.72)
- 39 no.13 ホリゾンタルカラーの半袖シャツ (p.73)
- 40 no.14 スタンドカラーのタックシャツ (p.74)
  スタンドカラーのタックシャツ
- 44 no.15 ミリタリーシャツ (p.75)
- 45 no.16 ワークシャツ (p.76)
- 48 no.17 ウェスタンシャツ (p.77)
- 49 no.18 プルオーバーシャツ (p.78)
- 52 no.19 ファスナーがポイントのカジュアルシャツ (p.79)
  ファスナーがポイントのウールシャツ

Column

- 6 シャツのはなし
- 8 Details of the SHIRT
- 13 衿のはなし
- 14 Details of the COLLAR
- 23 カフスのはなし
- 24 Variations of CUFFS
- 25 着こなしについて
- 29 ボタンのはなし
- 30 Variations of BUTTONS
- 32 続・ボタンのはなし
- 33 生地のはなし
- 34 Names of CLOTH
- 42 How to WASH and CARE for
- 43 How to IRON
- 46 DAMAGE and REPAIR
- 47 DOTTED-BUTTONS
- 50 How to BLEACH
- 51 How to DYE
- 54 The method of MEASUREMENT
- 55 SIZE of ready-to-wear

- 56 How to make

はじめに

メンズの服は、歴史や伝統、着こなしといったルールをとても大切にします。シャツにかぎらず、ほとんどのアイテムに、歴史上に登場したときの基本の原型というものがあります。僕たちプロのデザイナーの仕事は、そういったデザインの意味や理由などをしっかり理解することから始まります。衿やカフスのデザイン一つにもその必然性があり、「なぜその形なのか」ということも調べていくと、とても興味深いエピソードがあっておもしろいのです。

僕はシャツを作るとき、いつ、どこで、何のために、という場面をまず想定してみます。数多くある衿やカフス、ヨーク、ボタン、生地の中からその場面に合ったパーツを選択して最適な組合せを見つけてデザインする。その組合せを間違えてしまうと、「何か違うのではないか？」ということになる。でもファッションというものは、過去にあったものをそのまま作るわけではないし、時代の流行も取り入れなければなりません。そうしなければ、単なる古典的な古臭い服で終わってしまいますからね。僕は基本のルールから外れてしまう場合があっても、それはそれでおもしろいんじゃないかなぁって思います。だから僕たちの仕事は、過去に生み出されたものを組み合わせて「何が今の気分にいちばん合っているのか」を考えることがデザインするうえで最も大切じゃないかと思うのです。

この本にはすごく変わったデザインのシャツはありません。ほとんどがベーシックなデザインのものです。それはまずメンズシャツの基本型を知ってもらおうと思ったからです。そして単なる作り方のソーイングブックではなく、シャツに関するいろんな話を交えることで、今までシャツを作ったことがない初心者のかたからメンズデザイナーを目指すかたにも読んでもらえたらと願っています。

シャツのはなし

男性の服の中で「シャツ」というアイテムは、さまざまな種類があり、ビジネスシーンでもそれ以外でも欠かせないものです。それは18世紀ごろまで上着に直接汚れや汗などがつくのを防ぐための下着として作られ、着られていたということを知っていますか？ 当時はショーツの役割もあって、後ろ身頃の裾を股の下から前に回して、フロントのボタンでとめて着ていたのです。今でもシャツの裾が大きくラウンドした形になっているのはそのためです。シャツをオーダーするとトランクスもセットで仕立てることが多いのも、こういった歴史があるからです。そのためか特にイギリスではシャツは下着という意識が強く残り、女性の前で上着を脱いでシャツだけになるというのは礼を欠く行為とされたのです。現代ではそんな風潮は薄れ、重要なファッションアイテムとして着用されるようになりましたが、そういうエピソードがあったなんておもしろいですね。また、「ワイシャツ」という名称が一般化していますが、それはシャツが日本に初めて登場したころの基本になった白いシャツ（ホワイトシャツ）がだんだん転訛してそう呼ばれるようになったのです。

シャツはディテール一つにもそれなりに理由があって、知れば知るほど奥深く、その魅力に引き込まれていきます。そのことを知っていただくために、シャツのディテールや生地、ボタン、着こなしも含めてお話ししてみましょう。皆さんもさまざまな角度からシャツのことを知ると、これからシャツに袖を通すとき、今までとは違った感じがするのではないかと思います。

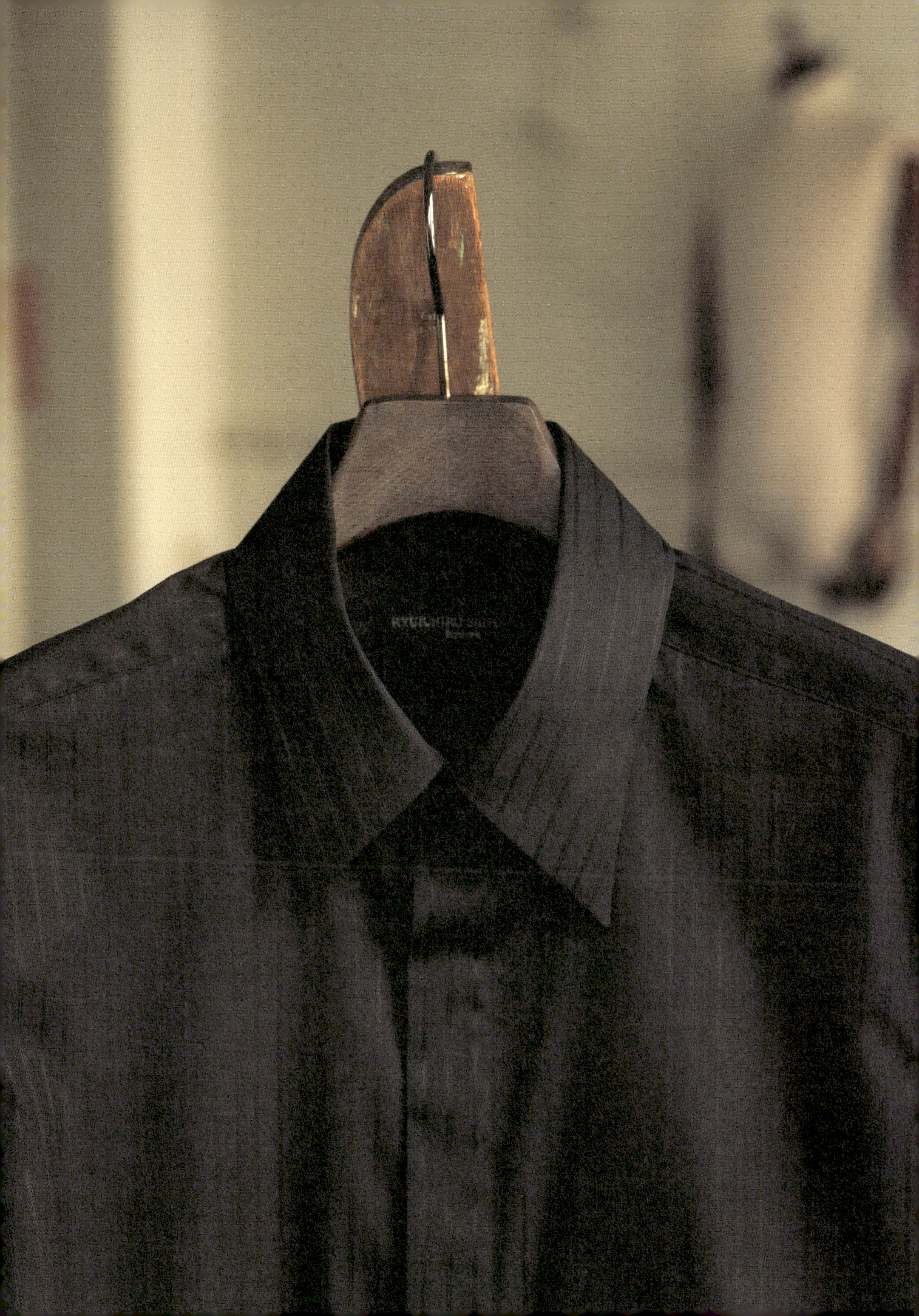

Details of the SHIRT

【衿先】Point
衿の先端部分。剣先ともいう。剣先の開く角度と形によって名称が異なる。突起が長いものはロングポイント、短いものはショートポイント。小さなボタンがついたものはボタンダウンといわれる。

【衿】Collar
衿羽ともいう。さまざまな形(14ページ参照)があり、目的やタイの結び方によってデザインが変わる。

【台衿】Collar stand
衿腰などの部分をいう。衿羽を支えるバンド状の部分。内側の肌に当たる部分をカラーバンドと称し、外側をネックバンドと呼ぶ。最近は4～5cmもの高いものもあるが、それはネクタイの厚みや幅にも関係している。

【ボタン】Button
シャツのボタンはシャツの種類によってそれぞれの用途に合ったボタンがつくのだが、ドレスシャツに限っては装飾の意味でつける場合がある。特にイタリア製のシャツなどに多く見られる4mmくらいの厚みのあるボタンは、かけやすさといった実用性よりは服を格好よく見せる要素が強い。

【ポケット】Pocket
ポケットは基本的にドレスシャツにはつかないのが原則だが、それはシャツがもともと下着だったという観点からだ。しかしビジネス用のシャツにはあると便利という理由でついているものが多い。だが物を入れたときに上着に響くので、使わないほうが格好いい。

【アームホール】Armhole
袖つけには脇を縫製する前に袖をつけてしまう方法と、身頃を縫った後から袖をつける後づけの方法がある。袖山の低いカジュアルシャツは先につけるのが一般的だが、袖山が高いドレスシャツはいせを入れてふんわりと仕上げるために後づけにされる。

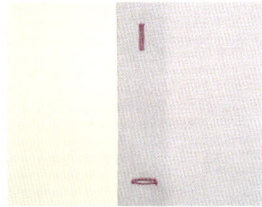

【ボタン穴】Buttonhole
ハンドワークを駆使した高級シャツは手縫いで細かく丁寧にかがられるが、ほとんどは機械でかがられている。フロントのいちばん下のボタン穴は横や斜めにあけられる場合があるが、それは腰の動きに応じて横方向にゆとりを持たせるため。また、最後のボタン穴の向きを変えることでボタンのかけ忘れを防ぐという意味もある。

【前立て】Placket
パネルフロントともいう。一般的に前立てがついているものがスポーティで、ついていないものはフレンチフロントと呼ばれてフォーマルシャツやドレスシャツに多い。

【裾】Hem
ドレスシャツは、かがんだときや手を上げたときに、パンツから出てしまわないように裾が長く、しかも深くラウンドにカットされている。イギリス製のシャツには昔の名残のせいか裾のラウンドが長いものが多い。

【ヨーク】Yoke
肩から背中にかけての切替えの部分。本来は体にフィットするように左右の布の分量を調節して両肩にフィットさせるためのもの。ヨーク面積が狭いほどドレッシーに仕上がり、広いとカジュアルに見える。後ろ中心に切替えのあるものはスプリットヨークという。

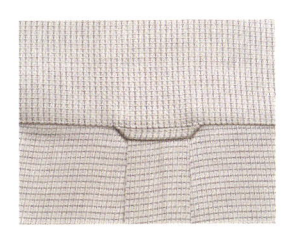

【プリーツ】Pleat
背中の運動量を補助するために入れるひだ。両肩にタックをとったり背中心にプリーツが入る。ギャザーのタイプもあるが、ドレスシャツには上着への影響を考慮して入れない場合が多い。ボタンダウンのシャツにはボックスプリーツと細いループがついている場合が多い。

【袖山】Sleeve cap
袖山が低いシャツほど運動量が増す。逆に袖山が高いシャツはタイトで運動量が減少する。高級なドレスシャツは袖山を高くして、いせ込みして後づけする。肩先に適度な運動量を入れるため、高度な仕立ての技術が必要とされる場合がある。

【剣ボロ】Sleeve placket
シャツの着脱に便利なように袖のあき部分に短冊状につけられた細長い布。先が剣の先のようにとがっていることから、こう呼ばれている。剣ボロの裏側にも裁ち端が出ないような丁寧な縫製をしているものがよい。

【ガントレットボタン】Gauntlet button
シャツの剣ボロについた小さいボタンのこと。ガントレットとは昔、騎士たちが装着していた籠手（こて）風の手袋のこと。このボタンがあることで袖口回りのだぶつきが抑えられてフィット感が増す。

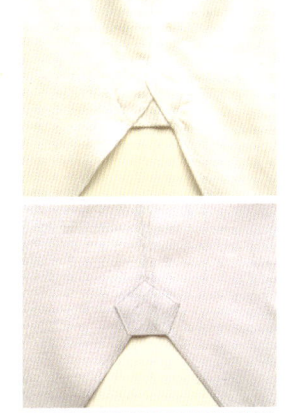

【ガジェット】Gadget
イタリアではムーシェともいう。脇の縫い目が裂けないようについた補強のための小さな布。裏から台形の布をつけるものや、縫い代に挟み込むものなどがある。

【脇線】Sideseam
高級な仕立てのシャツには、脇の縫い目と袖の縫い目が微妙にずれているものがある。それはボディの真横の線と腕の真横の線がそれぞれ違うため、パターン上で体によりフィットさせるようにわざとずらして仕立てられているから。

【カフス】Cuffs
袖口をとめるバンド状のパーツ。単なる袖口をとめるという役割だけではなく、衿と同様にシャツの顔となる部分。シングルカフスやダブルカフス、ターンナップカフスなどさまざまな形状があり、用途によって使い分けられる。

レギュラーカラーの白いシャツ

ドレスシャツの中で最も基本的なデザインは、レギュラーカラー＋フレンチフロント＋シングルカフスのシャツ。それを光沢が美しいダイアゴナルの真っ白な生地で作りました。後ろ身頃にダーツを入れ、袖ぐりも小さくして体にフィットさせたシルエットで、あえてポケットはつけません。これはあくまでもシャツは下着の延長という意識があるからです。シャツに余計なゆとりやディテールがあると、その上に着るジャケットにあたりが出てしまい、シルエットが崩れてしまうのです。そして繊細な生地の場合は、ミシン用の糸も細い80番を使って、針目も細かい設定でかけるのがきれいに仕立てるこつですね。作り方 p.58

no. 1

レギュラーカラーの
ストライプシャツ

no.1と同じパターンで生地だけを替えて。左はブルー系のマルチストライプ、右はグレーのペンシルストライプ。ストライプ柄のシャツは、スーツやネクタイとのコーディネイトでVゾーンが締まって見えますから、ビジネスシャツとして着るには最適。シャツの仕立てで最も目立つ衿とカフスには、厚い芯が入っているのですが、生地の風合いを損なわないように接着芯は使わず、ふらしという仕立てで作っています。ただ、この方法は難しいので、皆さんは接着芯を使ってください。ボタンは最高級の白蝶貝の4mmの厚さのものを使って。何気ないことですが、シンプルなシャツの場合、ボタンにはこだわりたいですね。

フライフロントのブラックシャツ

フライフロントとは、ボタンが表からは見えないようにしたシンプルな前立てのディテールです。ボタンホールを作る上前身頃の前立てを、2重合せにしたもの。この形は鳥が翼を折りたたんで休む姿に似ていることからついた「比翼」という名称が一般的でしょう。シャツのディテールの中では、モードを感じさせてくれる新しい感覚のデザインです。そこで生地にも表面効果のある細かい小紋柄がストライプ状になった黒のドビークロスを使って、表情をプラスしています。カフスもカッタウェーといわれる角をすとんと切り落としたようなデザインで、全体をよりシャープなイメージに仕上げました。作り方 p.62

no. 2

衿のはなし

「衿を正す」といういい方があります。これは、姿勢や服装をきちんと整えるという意味と、気持ちを整えて物事にあたる態度を示すという意味があります。もともとここでいう衿とは和服のきものの衿のことですが、現代に置き換えるとシャツの衿になるのではないでしょうか。特にビジネスシーンにおいては、衿がぱりっとしていないとどこか覇気がないと思われてしまいますから、いつもアイロンできっちりプレスしておかなければなりません。衿はシャツのディテールの中でもいちばんポイントになる部分ですから、シャツを購入するときはふらし芯のものをおすすめします。この見分け方は、衿を親指と人さし指でつまんで表と裏をずらすようにして、中に一枚残るような感じがするのがふらし芯です。ただしこれは高度な仕立て方ですから、この本では簡単な方法で解説しています。

衿はデザインのバリエーションも多く、さまざまな形があります。顔の輪郭や首の太さ、スーツとの相性やネクタイの結び方などで決めるといいでしょう。

ボタンダウンのシャツ

ボタンダウンのシャツというのは第1ボタンをあけたときにできる衿の折返り、ロールといわれる空間がとても美しいと僕は思うんですね。もともとはポロ競技用のシャツが原型ですから、スポーティなデザインです。このラフでカジュアルなデザインも、イタリアンクラシコスタイルの高級仕立ての職人の手にかかると、仕立てばかりでなくシルエットもぐっとエレガントにでき上がります。実にみごとな衿のロールが生まれ、高級感を感じさせます。これもイタリアンクラシコスタイルをイメージしたもので、光沢のあるヘリンボーンの生地を使ってエレガントさを出しています。作り方 p.63

no.3

Details of the COLLAR

【レギュラーカラー】
Regular collar
台衿と衿で構成された標準的な形をいう。衿先の開きの角度がだいたい45°程度と鋭角的。そして衿先の長さは7cm前後と長くもなく短くもない。この大きさと形がいわゆる衿の基本型である。

【セミワイドスプレッドカラー】
Semiwide-spread collar
ワイドスプレッドカラーほど衿先の開きはないが、レギュラーカラーよりは広い。ネクタイの結び目を大きくできる高めの台衿と、第1ボタンをあけてテーラードジャケットを着用しても、衿先が飛び出ないよう、衿先の幅が広い。

【ワイドスプレッドカラー】
Wide-spread collar
衿先の開きは130°前後と広く、この場合ネクタイは「ウィンザーノット」と呼ばれる結び目が太く存在感のある結び方がマッチする。英国王室のウィンザー公が着用したことから、「ウィンザーカラー」ともいわれる。

【ドゥエボットーニカラー】
Due-bottoni collar
「ハイカラ」(ハイカラー)の語源となった台衿の高い衿のこと。イタリアの伝統的な衿腰の高いスーツに合わせるためのもの。台衿にボタンが2個つくことから、イタリア語でドゥエボットーニ(二つボタン)という。

【ホリゾンタルカラー】
Horizontal collar
ワイドスプレッドカラーが、さらに180°近くまで広く開いた衿のこと。着用したときに衿先が水平に見えるのが特徴である。ホリゾンタルとは「水平線」を意味する。

【ウィングカラー】
Wing collar
フォーマル専用の衿型である。衿の後ろに細いテープがついているものが正式で、蝶タイのループをそこに通すことでずり上がりを防ぐ。特にかたい芯を使用して形崩れしないように仕立てられる。

【ターンダウンカラー】
Turndown collar
衿と台衿がつながって構成された、衿腰つきの一枚衿のこと。衿を折り返して着るというよりはむしろ後ろ衿を立たせて着用する。こうすることで、とてもきれいな衿のラインが表現できる。

【ワンナップカラー】
One-up collar
台衿のついていない一枚衿。第2ボタンのところから身頃を折り返し、開衿シャツのようにして着用する。衿下の第1ボタンをループでとめる形になっているツーウェーカラー。ハワイアンシャツなどの夏物に多く見られる。

【ボタンダウンカラー】
Button-down collar
身頃についた小さいボタンで衿先をとめた衿。ダウンとはこの場合、とめるの意味。第1ボタンをあけるときれいな丸みを作るフルロールという折返りが特徴。もともとポロ競技用のシャツだったため、ポロカラーともいう。

【ラウンドカラー】
Round collar
衿先を丸くカットした衿形のことで、大丸にカットしたものをいう。ちなみに小丸にカットしたものをラウンドチップカラーといい、身頃が柄で衿とカフスが白無地のものは別にクレリックシャツという。

【イタリアンカラー】
Italian collar
「ワンピースカラー」ともいう。見返しと表衿が一枚続きになっている。もともとは水兵の着ていたシャツをイメージして作られ、南イタリアで流行したリゾート用のシャツの衿。第1ボタンをあけて着ると、衿が美しく返る。

【スタンダップカラー】
Stand-up collar
一般的にはスタンドカラーといわれる。首にそって立ったバンド状の衿で、バンドカラーともいう。衿羽がなく、折返りもないので、ネクタイもできない。立ち衿といわれる立った衿の総称。

セミワイドスプレッドカラーの白いシャツ

僕は白いシャツが大好きで普段でもよく着るのですが、このセミワイドスプレッドカラーのシャツがいちばん着る機会が多いんです。なぜなら、第1ボタンをはずして着たときに、そのあいた感じがなんともいえない衿もとを演出してくれるからです。あけてもだらしなくはならない、そしてラフだけれどエレガントさを決して失わない。それは、衿の開きの角度が深く関係しているんだろうと思います。細かい杉綾柄を織り込んだヘリンボーンドビーストライプの生地は、ネクタイをしないアンタイの着こなしでも衿もとに表情が出るようにと選んだものです。作り方 p.64

no. 4

セミワイドスプレッドカラーの
ストライプシャツ

no.4と同じパターンで生地だけを替えて。こういう細かい柄の場合、いちばん気をつかうのは柄合せです。特に前中心や衿の柄が左右対称に仕上がっていないと、きれいには見えません。裁断は慎重にします。その場合、布を二つに折って重ねたとき、生地が動いてずれないようにしつけを粗くかけてから裁断するといいでしょう。こういうストライプのシャツはビジネススーツによく合わせますが、あえて僕はカジュアルなジーンズやチノパンに合わせて着ています。最近のスタイルはどこか一つドレスアイテムを取り入れてコーディネイトするのが主流です。こういう柄物の生地で作ったシャツは、ドレッシーでもなくカジュアルでもないミックスコーディネイトの着こなしに最適ですね。

ターンダウンカラーのシャツ

衿と台衿がつながっているターンダウンカラーがついたカジュアルなイメージのシャツです。このシャツを着るときは、第1ボタンをとめないで着こなしたほうが断然格好いい。ボタンをきちんととめてしまうと、衿羽の折返りがひきつれた感じになってしまうのです。なぜこんな衿ができたのか不思議なのですが、型紙の構造上きちんとボタンをとめて着るには無理が出てしまう変わったものです。いまだに、縫製を簡略化するためなのか、立ち衿が進化してこの形になったのかはわからないのです。本来はスポーティなアイテムに多く、ラガーシャツなどに使われていますが、こういった白い織り柄の生地ならちょっとドレスシャツっぽく着るのもおもしろいかと仕立ててみました。作り方 p.65

no. 5

ターンダウンカラーの
ストライプシャツ

no.5と同じパターンで生地だけを替えて。マルチストライプの生地を使ったシャツは、カジュアルアップしたスタイルにとてもよく合うと思う。特にこのターンダウンカラーは、第1ボタンをはずして後ろを立てて着ると、衿先まできれいに立ってくれるからとてもすっきり見える。きっとデニムのボトムにエレガントなテーラードジャケットとコーディネイトした着こなしがいちば○○じゃないかと思いますね。も○○○ルビズならスーツと合わせ○○○○シーンでの着こなしでも、○○○○色がさわやかなマルチスト○○○大丈夫だと思いますよ。

ドゥエボットーニの
セミワイドスプレッド
カラーシャツ

台衿に身頃よりも小さめのボタンが二つついた衿。これはイタリアンクラシコの上衿が高いスーツ用のシャツで、普通のスーツに合わせると衿が高すぎて格好よく見えないんです。このシャツを着るときは、合わせるスーツの衿の高さに注意しなければいけません。そしてこれには厚い芯が入った幅広のネクタイを合わせてください。そうしないとⅤゾーンがきれいにおさまらないのです。でもそれでは全体がきまりすぎて、おもしろくない。だからイタリアではセンツァクラバッタ（イタリア語で「ノーネクタイ」の意味）といわれる、気を抜いてちょっと崩した着こなしにします。台衿のデザインがポイントだからわざとそれが見えるようにネクタイはしないし、ボタンもとめないであける。そのほうが断然粋ですからね。
作り方 p.66

no. 6

ドゥエボットーニの
セミワイドスプレッドカラーシャツ

no.6と同じパターンで生地だけを替えて。ドゥエボットーニは台衿についた二つのボタンがデザインポイント。この普通とはちょっと違う台衿だからこそ、わざとその部分が見えるようにネクタイはしないし、ボタンもとめないといった着こなしをすることは前にもお話ししました。なぜかというと、男がこだわりを持っておしゃれに気をつかっていることを、いちいち言葉で説明するなんてやぼでしょう？ それでもさり気なくアピールするために、ボタンをとめる糸を目立つような配色にしてみました。淡い紫色のオックスフォードに映える赤い糸を使って。これで必ずボタンに視線がいくはずです。ぱっと見ただけでおしゃれと気づいてもらいたいと願う男心ですね。

ウィングカラーの
フォーマルシャツ

普段は着る機会があまりないのですが、本格的なフォーマルシャツを仕立ててみました。正装用の燕尾服、タキシードなどに合わせるものです。本格的な正礼装用のシャツには、勲章をとめたときにその重さに耐えられるよう胸当てがついていました。それは芯地を入れてのりでかたく固めたもの。よだれかけのような形から「イカ」または「スルメ」と呼ばれていましたが、その後、着やすさを考えてシャツと一体化したヨーク風のものが現在は正式なデザインです。「立ち衿イカ胸シャツ」といわれています。かたくて着にくいので作品のようにタックをたたんだ「ひだ胸」も礼装用として認められています。カフスはカフスボタンでもとめられるコンバーティブルカフスにしています。作り方 p.67

no. 7

カ フ ス の は な し

カフスは本来は「カフ」と呼びますが、基本的に左右一組のものなのでここでは複数形の「カフス」と呼びます。カフスは衿のデザインと同様にメンズシャツの重要なディテールです。また衿のデザインによって、つけるカフスのデザインもある程度は決まっていたりするものです。しかし、正式なフォーマルでないかぎり、自分の好きなカフスのデザインをチョイスしてもいいんじゃないかと思います。僕が好きなのはカフスの角を丸くラウンド状にカットしたり、スクエアに落としたデザインのもの。着心地もいいと思うんですね。カフスの角が直角のままだとその角が引っかかってしまったり、手のひらの厚みや手首のさまざまな動きに対応できないことがある。だからそれでも角を四角くカットしたカフスにする場合は、ボタンの位置を少し袖とのはぎ目近くに移動します。こうすれば手首にフィットしながら手の動きも楽になるのです。でもなぜか女性物のブラウスのカフスには長方形のデザインが多いような気がします。縫製を簡略化するためなのか、幅が狭いからなのか理由はわかりませんが、男物ほどバリエーションがないのは、きっと他の部分で主張しているからなのでしょう。

Variations of CUFFS

【シングルカフス】
Single cuffs
折返しのないカフスで、ボタンでとめる最もベーシックな袖口。欧米ではカフスボタンでとめる正装用のカフスをいう。円筒形の樽（バレル）の形に似ていることから、「バレルカフス」ともいう。

【カッタウェーカフス】
Cutaway cuffs
角を斜めにカットした形が特徴的なカフス。その形から「カットオフ」（角落し）ともいわれる。角を落としたシャープなデザインはドレッシー向きに思われるが、どちらかといえばスポーティなデザインになる。

【コンバーティブルカフス】
Convertible cuffs
ボタン穴が両サイドに切られているカフス。ボタンだけでなくカフスボタンでもとめることができるようになっている。コンバーティブルとは変換可能という意味である。

【スクエアカフス】
Squared cuffs
角がカットされていない四角いカフス。「角」ともいわれる。写真はアジャスタブルタイプのもの。袖口周囲の寸法が二通りに調節できるように、ボタンを横方向に2個並べてつけている。

【ダブルカフス】
Double cuffs
「フレンチカフス」ともいう。シングルカフスに対して袖口を折り返して二重にしたカフスのこと。袖口にボタンはなく、カフスボタンを必要とする。最もフォーマルなデザインのカフスである。

【ラウンドカフス】
Rounded cuffs
角が丸くカットされているシングルカフス。丸みの度合いはさまざまだが、小丸のものが一般的。写真は標準よりやや大きい丸のもの。扇形にカットされたものは、手首によくフィットする。

【ターンナップカフス】
Turned-up cuffs
「ミラノカフス」ともいう。見た目はダブルカフスのように折り返すタイプだが、シングルカフスのようにボタンでとめてから折り返したもの。ドレッシーなシャツに多く用いられる。

【ツーボタンカフス】
Two-button cuffs
シングルカフスやターンナップカフスに多く見られる、とめるボタンが2個ついているカフス。略して「2B」ともいう。手首にフィットするよう袖口をしっかりととめたいときに便利である。

着こなしについて

ここでちょっとシャツの着こなしのテクニックをお話ししましょう。シャツは基本的に上着を着てしまえば見える部分は衿、カフスは見えないこともあります。ただカフスは、ジャケットを着るときはもちろんセーターを着るときでも、少しでもいいから袖口から見せるようにしたほうが格好いいのです。ジャケットの場合は袖口からカフスが1〜1.5cmのぞくのが基本です。このバランスは覚えておいてください（写真a）。

シャツの袖口を折り上げるときにも、格好よくスマートに見せる方法があります。普通はカフスの幅で3回ぐらい折り上げてしまうかたが多いと思うのですが、それでは折った部分の幅が広く、やぼったく見えてしまいます（b）。もっとスマートに見せるためには、カフス幅のちょうど半分から折り返します（c）。そのままくるくるっと3〜4回、だいたい4〜5cmくらいの幅でロールさせて折り上げてみると、このほうがずっとスマートに見えませんか？ ただし、折り上げていいのは袖丈の7分くらいまでがベスト（d）。間違っても肘までまくってしまってはバランスが悪くなってしまうのでほどほどに。

また、ドレスシャツをオーバーサイズでダブダブに着ている人を見かけるのですが、あれはちょっとやぼったく見えてしまいますね。しかも上に着ているジャケットに、シャツの余分なだぶつきのあたりが出て、上着のシルエットが崩れてしまいます。シャツは体にフィットした着こなしが断然格好いいと思うのです。

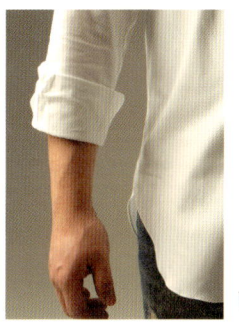

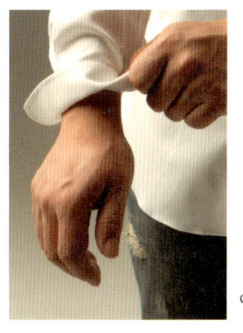

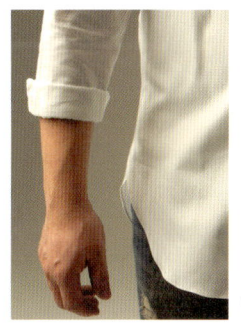

ワイドスプレッドカラーの白いシャツ

この大きく衿羽が開いた衿はウィンザーカラーともいわれるもの。ウィンザー公が特に好んで着ていた衿のデザインで、ボタンダウンのシャツが流行していた時代に当時としては珍しいワイドスプレッドカラーのシャツをいつも着用していたことが由来となったのですが、その衿に合わせるタイにも逸話があります。それはこの衿の場合、結び目を太くしないと間が抜けて見えてしまい格好が悪いので、ネクタイの芯を特別に仕立てて、普通に結んでも大きな結び目ができるような厚いものを使用していたんですね。それを普通のネクタイでもまねてみようと考案された結び方が、「ウィンザーノット」と呼ばれる太く見える結び方です。だからこのシャツを着るときは必ずタイをウィンザーノットで合わせましょう。
作り方 p.68

no.8

no.9

ラウンドカラーの
クレリックシャツ

衿とカフスを白生地で切り替えたシャツ
をクレリックシャツ、またはカラーセパ
レーテッドシャツといいます。「衿とカフ
スがなぜ白いのか」という僕の疑問に、友
人のイギリス人デザイナーの「これは聖職
者が着る制服の白い立ち衿（クレリカルカ
ラー）が由来だよ」という答え。そしてそ
れまで僕が身頃と同じ厚さの生地を使っ
ていたのを見て、「それでは単なるホワ
イトカラード（白い衿）シャツじゃない
か。縫い代が透けて見えないよう、身頃
に使った生地より肉厚の生地を使うのが
正式なんだ」という説明に納得し、それ
以来、クレリックシャツを仕立てるとき
は身頃にブロード、衿とカフスにオック
スフォードを使っています。作り方p.69

イタリアンカラーのボタンダウンシャツ

イタリアのシャツに多く見られる衿と見返しが一枚続きになったシャツ。最近のデザインは、衿羽の剣先の角度や布目の方向を変えた多くのバリエーションがあります。この作品は衿もとをあけてちょっとセクシーに見せたかったので、ボタンダウンの仕様にしています。こうすると衿先にとめたボタンが衿のロールを引っ張るために自然と胸もとがあくのです。きれいに折り返した衿のロールに合わせて、カフスも折り返すターンナップのデザインにしました。デザイン的にはカジュアルなのですが、ラメ糸を織り込んだ生地でエレガントさをプラスしています。身頃のストライプ柄と合うように、衿は縦地に裁断しましたが、横地に裁断してもいいでしょう。作り方 p.70

no. 10

ボタンのはなし

ボタン選びは僕たちデザイナーでも難しく、服のデザインや生地の色、柄によってもどんな形でどんな材質のボタンをつけたらいいのか、けっこう悩んでしまうときがあるんです。ボタンには本当にたくさんの材質と形状があるので選ぶのも大変なのですが、それをつけるシャツの用途をよく考えればどんなボタンが最適なのかは自然と導き出されます。ハードな洗い方をするワークシャツやミリタリーシャツには割れやすい貝ボタンをつけるのを避けたり、ドレスシャツには頑丈そうなイメージの重いメタルボタンはつけないですよね。というようにシャツのボタンにはそのデザインや素材に合わせた法則があります。デザインによってはあえてそういう法則を無視してもおもしろいのですが、ボタンの基礎知識として覚えておくといいでしょう。ここで紹介しているのはメンズシャツによく使われる一般的なボタンばかり。選ぶときの参考にしてください。

Variations of BUTTONS

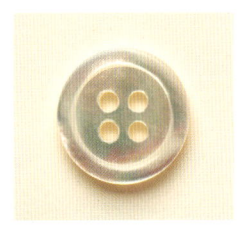

【白蝶貝】
白蝶貝という真珠の母貝。貝ボタンの中では真珠層の光沢が美しい高級品である。原産はインドネシアやタヒチだが、ニューギニアやオーストラリア産のものは濁りがなく透明度のある最高の品質とされる。

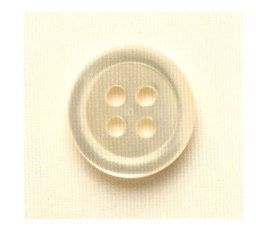

【高瀬貝】
淡い虹色の色調が特徴のインドネシア、ソロモン諸島などが原産の巻き貝。貝ボタンの原料として多く使われている。厚みがあるためさまざまな型や彫刻を施すことができ、肉厚のボタンを作ることができる。

【茶蝶貝】
茶蝶貝はマベ真珠として有名な、熱帯から亜熱帯に生息する真珠の母貝の一つ。うっすらと茶色がかった光沢の真珠層を持っているため、落ち着いた柔らかな味わいが特徴である。

【黒蝶貝】
白蝶貝と同じ種類の二枚貝。世界的に人気のある大粒の南洋黒真珠の母貝である。縁の周辺部には緑や赤の色素を含んでいる黒色層があり、さらに中心部に輝きの強い銀白色層を持つ。全体的に深みのある黒っぽい色を放つ。

【黄蝶貝】
白蝶貝の黄色の強い部分のことを特に黄蝶貝と呼んでいる。ほんのりベージュがかった色合いを持ち、産出量も少ないため希少価値が高い。古くから、ボタンだけでなく広く宝飾品の材料として用いられている。

【メキシコあわび】
メキシコ湾原産のあわび貝。グリーンを基調にピンク、シルバー、ブルーなどさまざまな色が混じり合った独特な色合いの、とても美しい貝である。古くから漆器や工芸品、ナイフの柄などの高級装飾の細工に利用されている。

【あわび貝】
ボタンや螺鈿細工の材料として古くから利用されている。あわび貝独特のうねりのある形状が輝きを多方面に反射し、どの方向から見ても美しい光沢を放つ。ベージュとシャンパンゴールドが混ざり合った色合いが特徴。

【ナットボタン】
南米エクアドル産タグアやしの種が原料である。本来の色はアイボリーナットと呼ばれ、象牙色の美しい地肌と木目が特徴。独特の染色技術により、現在ではあらゆる色に染められ、使用されている。

【ココナッツボタン】
原材料はスリランカの海辺に多く繁茂するココナッツやし。採集されたやしの実は、中身を取った後の殻の部分を削ってボタンに加工する。主にハワイアンシャツ（通称アロハシャツ）など夏物に使用される。

【バンブーボタン】
原材料は竹（バンブー）。天然素材なので、長年使用することによって徐々に色が濃く変色し、味わいが出てくるのもこのボタンの特徴である。ビンテージのハワイアンシャツなどに多く見られる。

【ユーリア樹脂ボタン】
もともと、イタリアやドイツで生まれた水牛のイミテーションボタン。色柄を着色した板状の尿素系のユーリア樹脂が材料。さらに年輪状に重ねてできたタブレット状にし、圧縮成型して作ったもの。

【メタルボタン】
ホワイトメタル、黄銅、亜鉛などの金属が原料。学生服のボタンは黄銅を、細かい網状のものはホワイトメタルを金型に流し込んで作っている。写真は亜鉛の鉛色を生かした渋い仕上りが特徴。

【ポリエステルボタン】
石油から作られるポリエステル樹脂が原材料。原色と後染めがあり、パールの光沢や貝、ナット、水牛などのさまざまな模様もイミテーションとして作ることができる。耐薬品性や耐熱性にすぐれ丈夫。

【猫目ボタン】
洗濯や摩擦などでつけ糸が切れないようボタン穴の周辺に猫の目のような切込みを入れたもの。その特徴を生かして軍物の制服やワークウェア、洗濯の頻度が多いアンダーウェアなどに使用される。

【ホーンボタン】
原材料は水牛の角。削って加工し、原始時代からボタンに使用されていた素材の一つ。力強さと落着きのある風合いが高級感をかもし出すため、コートやスーツなどのウール素材との相性がいい。

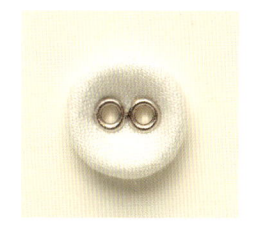

【くるみボタン】
包みボタンとも呼ばれ、服と同じ布や革などの別素材で表面を包んだもの。ボタンの芯に使われる素材は、現在はアルミニウムが一般的。写真はボタン穴の糸を通す部分に金属で縁どりがある。

続・ボタンのはなし

多くのドレスシャツに貝ボタンが使用されているのは、貝独特の光沢感が繊細な細番手の生地にベストマッチするからでしょう。またワークシャツやミリタリーシャツなど厳しい条件でも耐えうるような頑丈さを要求される場合は、摩擦で糸が切れにくいような猫目の形状のもの、洗濯性を重視した材質だったりするものがつけられます。かけはずしがしやすいようにドットボタンをつける場合もあります。おもしろい材質では、ココナッツの実や竹を削って作るボタンがありますが、これはハワイアンシャツや夏物のカジュアルシャツに使われ、実用というよりも季節感や雰囲気を重視してつけられているものです。

最近ではボタンの加工技術が進み、貝ボタンでも一見して本物の貝から作ったものか、イミテーションなのか区別がつかない、精巧なフェイクシェルのボタンもあります。その時、僕はボタンを歯でかんでみるんです。貝ならガリッと石をかんだような感触ですが、プラスチックならカチカチといった感触ですから簡単に見分けられます。

ここでちょっとしたボタンの豆知識を。ドレスシャツについている貝ボタン。普通は2mmくらいの厚みが標準ですが、高級なシャツほどボタンに厚みを持たせています。4mmという厚さのものを使うのですが、その理由が二つあって、一つはそれくらいの厚みがあると片手でボタンをかけはずしするのにちょうどいいから。もう一つは4mmの厚みまで貝が成長するためには時間がかかり、それほど多くはとれない希少性から、ボタンそのものが高級品になるのです。さらにこだわると、かたい台衿につく第1ボタンだけは厚みがあるとかけはずしがしにくいため、身頃のボタンに比べて少しだけ薄いものをつけるのです（写真a）。第1ボタンは自分の目で見えない部分ですから手の感覚だけが頼りです。ちょっとしたことですが、実に着やすくなります。こうして細部にこだわっているのが本物の高級シャツでしょう。

また、ボタンの糸かけにもおもしろいかけ方があります。普通は「げたがけ」という四つ穴ボタンに平行になるようなかけ方をします。強度を考えると十字形に糸をかける「クロスがけ」(b)のほうが頑丈で、見た目も美しい。げたがけは機械で短時間で効率よくつけられるため、大量生産されるシャツのほとんどのボタンがこのつけ方です。クロスがけは以前は機械づけができなかったため、職人の手で仕立てる高級なシャツにしか使われなかったのです。最近は機械でもつけられるようになったため「高級シャツのクロスがけ」ということではなくなりました。

どちらにしてもボタンは手でつけたほうがしっかりするし、なによりも職人の手でつけるということがメンズシャツでは高級につながることなのです。最近ではイタリアンクラシコの影響でクロスがけに代わって「鳥足がけ」(c)という、ちょうど糸のかけ方が鳥の足跡に見えるところからその名がついた珍しいかけ方が流行しています。このかけ方は手づけをアピールするために、わざわざ面倒な糸のかけ方をしているのです。ちょっとアクセントを加えたいときなどにはおすすめですね。ボタンつけ糸も配色にしたりするとデザイン的にもおもしろいので試してみるのもいいでしょう。

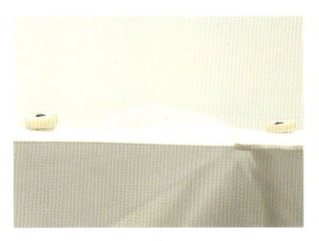

a   b   c

生地のはなし

着心地がいいシャツの要素は、まず第一に生地のよしあしでしょう。
綿には、サンフォーキン綿、インド綿、エジプト綿、ギリシア綿、モロッコ綿、中国の新疆ウイグル自治区の新疆綿、ペルー綿、ジンバブエ綿など世界中でさまざまなものがあります。肌触りのいいインド綿は部屋着に、白度が高いギリシア綿はポロシャツやTシャツに、あたたかみのある柔らかな風合いのモロッコ綿はセーターに、新疆綿は下着に、丈夫なペルー綿は靴下、ジンバブエ綿はソフトな風合いを生かしてカジュアルウェア全般に使用されます。その数ある綿の中でも僕が「いちばんいいなぁ」と思えるものは何といっても、シーアイランドというアメリカのサウスカロライナ州の沿岸に位置する列島でとれる最高級の綿。通称「海島綿」とも呼ばれているシーアイランドコットンが最高だと思うのです。ただ一般ではなかなか手に入れることができませんし、その綿も触っただけではよくわからないものです。ここではまずよい生地の簡単な見分け方をお話ししましょう。

ブロードなどの平織りの生地は、まず透かして見てください。たて糸とよこ糸がゆがみなく均一に織ってあるものが高級なものです。ここで節があったりするものは避けます。また織られている糸が細いものはドレスシャツに、ちょっと太めのものはカジュアル向きです。糸は番手と呼ばれる数字が大きくなるほど細くなり、高級なものとされます。番手で専門的にいうと80/2（はちまるそう）や40/1（よんまるたん）といわれる番手はカジュアルシャツに、100/2（ひゃくそう）や50/1（ごまるたん）といわれるものはドレスシャツ向きです。そして平織りと同じ番手でも綾織りの生地のほうが肉厚に感じます。

生地の表面につやがあり柔らかな手触りのいいものが高級で、エジプト綿で織られているものがそれにあたり、ドレスシャツ向きです。逆に触ったときにがさっとしたものはサンフォーキン綿の場合が多く、カジュアルな洗いざらしのシャツに適しています。
使用する生地は作るシャツの目的によってさまざまですが、お店で買うときは使用する要尺分の布地全体を見せてもらって織り傷や節がないかを確認するといいでしょう。また生地屋さんはいろいろアドバイスをしてくれますので、作るシャツの目的やデザインをしっかり伝えて相談してみましょう。

Names of CLOTH

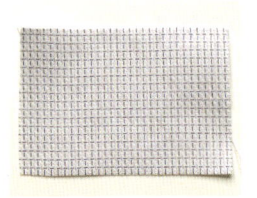

【ドビークロス】
Dobby cloth
ドビー織機という綾織機で、小柄の規則正しい連続した地模様を織り込んだ紋織物の一種。主にイタリア製やフランス製などのシャツによく見られる生地である。写真は3色の織り糸を使ったもので、綾織り特有の光沢がある。

【綿ローン】
Cotton lawn
60番手以上の細い糸を使用し、高密度に織られた平織物のこと。もともとの「ローン」は麻糸を使用した織物だった。現在ではハンカチーフや盛夏のワイシャツに多用される。薄く透け感のある柔らかい木綿である。

【リネン】
Linen
亜麻糸(あまいと)で織った光沢のある薄手の生地。リネンは、綿やシルクに比べ吸水、発散性に優れ、水分や汗をすばやく吸い取り発散する性質がある。肌触りもさらっとしていて涼感のある着心地が特徴である。

【ダイアゴナル】
Diagonal
斜文織りの一種で、織られた糸の畝が45°以上の角度を持つ織り柄である。ダイアゴナルは「斜めの」という意味。特に織り糸の斜め畝がはっきりしていて縞状に見えるものを別に「フランス綾」という。

【オックスフォード】
Oxford
「ななこ織り」といわれ、2本から4本の糸を引きそろえたたて糸に、同数のよこ糸を打ち込んで織った変り平織物。籠目(かごめ)のような風合いで光沢があり、しわになりにくい。ボタンダウンのシャツに多く使用される。

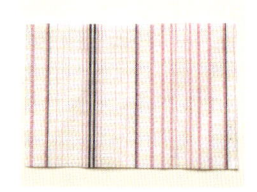

【マルチストライプ】
Multi-stripe
縞の幅に関係なく、多くの色糸をたて糸に使って織られた、ストライプの平織物の総称である。カラフルな色づかいから「ファンシーストライプ」ともいわれ、カジュアルなシャツに使用される。

【ブロードクロス】
Broadcloth
代表的な平織物で、使用した糸は太さを表わす番手の数字が大きいほど細く上質になる。一般的にカジュアル用は40番手、ドレス用は100番手以上の糸を使用し、200番手の極細の糸で織られた英国製のものが最高級とされる。

【ヘリンボーン】
Herringbone
綾織りの一種。杉綾の模様と杉綾の織り目の両方をさしていう。ちなみにHerringは「にしん」、boneは「骨」の意味で、「にしんの骨」のようにも見えることからそう呼ばれている。

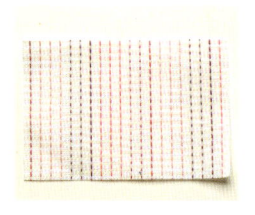

【刺し子ドビー】
Darning stitch dobby
刺し子(さしこ)とは、布地に糸で細かく幾何学模様を刺していく手法のこと。もともと保温や補強のため、布にステッチを刺したのが始まりとされているが、それに見せかけてドビー織機で織ったものをいう。

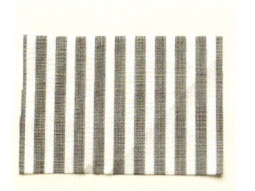

【ブロックストライプ】
Block stripe
ストライプのライン部分と他の部分の幅が等しく、さらにその幅が太いストライプ柄をいう。ラインの色は単色どうしで構成されるのが基本になる。和製英語で別名「ロンドンストライプ」といわれる。

【クレープ】
Crape
縦方向に筋のようなしぼが入った織物。このしぼは、たて糸に普通糸、よこ糸により の強い糸を使用して織り、後の精練で形成されたもの。表面にできた凹凸が清涼感を与えるため、夏物として使用される。「楊柳」ともいう。

【デニム】
Denim
番手の小さい太い綿糸を藍で染めてたて糸に、よこ糸にさらし糸を使った丈夫な綾織物をいう。フランスの「ニーム地方で織られたサージ」を表わすフランス語「セルジュ・ドゥ・ニーム」がデニムの語源とされる。

【ツイード】
Tweed
太い番手の羊毛を使用した紡毛織物。ツイードの名称は綾織物を意味する「ツイル(twill)」が語源という説と、スコットランドとイングランドの境界を流れるツイード川に由来するという説がある。ざっくりした風合いが特徴。

【タータンチェック】
Tartan check
もともとスコットランドの氏族を表わす飾章、紋章としての格子状の織り柄。戦争で敵味方を識別するためのほかに、身分によって身分の低い単色から王族は7色までと色数が決められていた。

【ツイル】
Twill
2本ないし3本の糸をより合わせた撚糸で織られた、綾織物の総称。平織りと比較して糸の密度を高くして織れるため、生地に厚みを持たせることができる。コートやジャンパーなどのアウターウェアに使われる。

【ペンシルストライプ】
Pencil stripe
鉛筆で描いた線のような細さで、間隔も狭く規則正しいストライプ柄のこと。他に線の太さによって「ヘアラインストライプ」(髪の毛)、「ピンストライプ」(針)、「チョークストライプ」など名称も異なる。

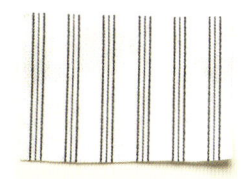

【トリプルストライプ】
Triple stripe
3本の線が一組となり、連続して作り出す縞模様のことをいう。「トリプル」は3本の意味、2本の場合は「ダブルストライプ」というように、一組となる線の本数によって名称が変化する。

【ドビーストライプ】
Dobby stripe
ドビークロスの地模様の連続によって表現されたストライプ柄のこと。こういう無地の織り柄による生地は適度な張りがあり、しわになりにくいという特徴がある。そのためにビジネスシャツなどに多用される。

レギュラーカラーの
カジュアルシャツ

水洗いをして仕上げたシンプルなレギュラーカラーのシャツです。カジュアルシャツはドレスシャツのように必ずジャケットをはおるというわけではないので、全体的に大きめのサイズ設定にしています。着こなしも自由ですから、どんな生地を使ってもかまわないと思います。この作品には少し肉厚のドビーストライプを使っています。使用するミシン用の糸もドレスシャツより太い50番を使って、ミシンの針目も多少大きく設定してもいいでしょう。作り方 p.71

no.11

レギュラーカラーの
カジュアルシャツ

no.11と同じパターンで生地だけを替えて。この作品に使用した生地は、ローンのように光沢があり、薄くて透け感のあるものですが、レーヨンが混紡されています。このようにレーヨンが入っている生地は、洗濯すると縮むことがあるので注意が必要です。縫製の前には必ず「地直し」をして、あらかじめ縮めておくといいでしょう。この「地直し」の方法は、58ページに詳しく説明しています。簡単ですからレーヨンにかぎらず木綿やウールの生地も地直ししてから仕立てると、形崩れしません。せっかく作ったのに、洗濯したとたんに着丈や袖が縮んでしまって着られないなんて、残念です。

ワンナップカラーの半袖シャツ

夏のシャツといえばアロハシャツですが、正式な名称は「ハワイアンシャツ」といいます。もともとはハワイに移住した日本人が作りはじめたもの。「アロハシャツ」というのはこのハワイアンシャツを売りはじめたときの名前なんです。本物のハワイアンシャツは、きものの下に着る絹の襦袢で仕立てられていたとか。その説にならって、きものの反物で作ってみるのもおもしろいと思ったのですが……。そんな時、縮緬に似たマルチストライプの生地を見つけたので、それを使ってかなり洋風に仕立ててみました。それでもハワイアン風にココナッツの実を削って作ったボタンをつけて仕上げています。もちろんアイロンはかけずに洗いざらしで着るのが一番ですね。

作り方 p.72

no. 12

no. 13

ホリゾンタルカラーの半袖シャツ

カットされた衿先が特徴的なホリゾンタルカラー。前をあけて衿を立てて着るとフロントから衿までのラインがほぼ一直線になり、胸もとがとてもすっきり見えるんです。こういう衿のデザインのシャツは断然夏向き。だから袖も半袖にしました。刺し子ドビーのような表面に凹凸のある生地を使って仕立てると、肌触りもさらっとして気持ちいいですよ(手前)。生地を替えてたくさん作ってください。僕は何回も洗濯機で洗ってくたくたにしてからカジュアルに着ていますが、それでもドレッシーなイメージが残っているのは、衿がこのデザインだからでしょう。作り方 p.73

スタンドカラーのタックシャツ

前身頃に細かいタックをたたんで飾ったスタンドカラーのシャツです。夏の代表的な素材である綿ローンを使って仕立てました。このデザインは、ローンのような透ける素材はもちろんおしゃれですが、使う素材によって雰囲気ががらりと変わりますから、ほかにもいろいろな素材で遊んでみるのもおもしろいと思いますよ。仕上げはもちろん洗いざらしのまま、アイロンをかけないで着ましょう。僕はこのシャツがインドの民俗衣装「クルタ」をイメージさせる仕上りになって、けっこう気に入っています。どこかエスニックな感じのする繊細な夏のシャツになりました。作り方 p.74

スタンドカラーのタックシャツ

no.14と同じパターンで生地だけを替えて。麻の中でも最高級といわれるアイリッシュリネンを使っています。麻は産地によってさまざまな特徴があります。特にアイルランド製のものは光沢にすぐれ、発色や肌触りがほかとは比較にならないほどいい。だからこの生地もとてもきれいなスカイブルーです。「麻はしわになるから」と初めから敬遠するかたもいますが、そのしわを楽しんでみるのもいいものですよ。洗いざらしの細かいしわ感が、なぜかとても自然でエレガントです。僕はこの雰囲気がこわれないように、ボタンも貝ボタンを使わずに共布で作ったくるみボタンにしてみました。

How to WASH and CARE for

洗濯とメンテナンスの方法

ここでシャツに関する、ちょっとしたお手入れのテクニックをお話ししましょう。カジュアルなシャツなどは洗濯機でがんがんに洗ってよれっとした風合いを出してしまうほうが体になじむので、僕は新品のシャツは最初に何回か洗濯をして、洗いざらしのまま着るようにしています。

ドレスシャツは、「自宅で洗濯するよりもクリーニングに出したほうがきれいに仕上がる」と思われているかたが多いと思います。しかし実際は逆で、それがシャツをだめにしてしまう場合があるのです。それは上質な素材ほど高温、高圧のアイロンプレスには耐えられませんし、強い洗剤などを使用すると、せっかくの風合いが損なわれてしまう危険があるからです。そのため、上質なシャツほど自宅で洗濯したほうがいいのです。ドレスシャツの洗濯は、手洗いするのが一番の方法です。また、洗濯機を使う場合でも、必ず洗濯ネットに入れて水流の弱いモードなら大丈夫です。
手荒いの場合は生地に負担をかけないようにやさしくもみ洗いをしてください。その後、数回すすぎを行なったら脱水をします。

脱水の時間はできるだけ短めに。生地に水分が残っていたほうが乾いた後のしわができにくいからです。だいたい30秒くらいを目安にします。
干すときはハンガーにかけて干します。この時のハンガーはクリーニング店でかけてくるような薄いものは厳禁。ジャケットをかけるような肩の分厚いハンガーが最適です。これなら乾いたときに肩にハンガー跡が残らないので、後のアイロンかけが楽になります。さらに袖や脇などの縫い目は、軽く引っ張ると縮んでしまうのを防ぐことができます。ただし、肩の部分だけは引っ張って伸ばさないように注意し、軽くたたいて全体のしわを伸ばすようにして干してください。

ここで洗濯後の干し方で、もっとおもしろく服を楽しむ方法を紹介しましょう。
仕事で着るビジネスシャツには、最近はさまざまな色や柄が出ています。「時にはカジュアルでも着られるんじゃないか？」と考えるかたがけっこういると思うのですが、そういうかたにおすすめの簡単テクニックです。

これは以前僕がアパレルメーカーにいたときに、インドで作ったスカートにこのテクニックがよく使われていました。インドでは昔から伝統的に行なわれている技法です。

まず普通に洗濯をして脱水します。ここまでの手順はドレスシャツの洗濯と同じです。
この後、普通には干しません。シャツの衿と裾の部分を両手で持ってくるくる回してねじっていきます（写真1）。そして裾までしっかりねじったら、衿と裾を一緒に合わせると今度は自然と逆向きにくるっと丸まってしまいます（2）。この状態で衿と裾をきつく結んでねじったまま、ひもなどでつるして干します（3）。
途中、生乾きの状態で広げてハンガーに干しますが、この時のしわはわざと伸ばさずにそのままの状態で乾かします（4）。
こうすると41ページのように自然なワッシャー仕上げのシャツが簡単にできるのです。

ちょっとした工夫でドレスシャツも簡単にカジュアルシャツになるのです。ただしこのテクニックが使えるのは綿や麻などの天然素材だけ。ポリエステルが入っているものには使えませんから、シャツについている品質表示を確認してから行なってください。ビジネスシーンでまた着たいときは、しっかりアイロンをかければ元どおりきれいになりますから、簡単におしゃれを楽しみたいかたは一度お試しあれ。

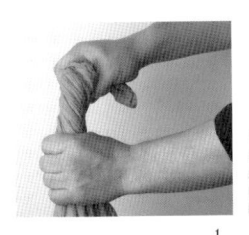

1　2　3　4

How to IRON

アイロンプレスの手順

アイロンかけに特別なテクニックは必要ありません。でもシャツのアイロンかけには最も効率的な順番があって、覚えておくとシャツを余計に振り回さずにスムーズにかけられます。まずアイロンは、シャツが生乾きの状態でかけることをおすすめします。それはシャツに水分が残っているので、全体に霧吹きしなくてもすむわけです。完全に乾いてしまったら、霧吹きを使ってシャツ全体にまんべんなく霧を吹きかけます。この時、シャツはハンガーにかけておくと、全体が一度でできます。霧吹きは、その後のアイロンがうまくかけられずに失敗してしまったときでも、もう一度吹きかければやり直すことができますから、アイロンをかけるときには必ず用意しましょう。また、使用するアイロンは職業用の重いものほどきれいに仕上がりますが、家庭で使っている軽いスチームアイロンでも大丈夫です。ただしスチームの設定はOFFにし、ドライアイロンでかけましょう。アイロン台は、かけ面以外がしわにならないスタンディングタイプのものがいいでしょう。また、白いシャツなどの場合、アイロン自体が汚れているとシャツに汚れがついてしまうので、アイロンのかけ面も事前にきれいにふいておきます。それでも心配であれば、白いハンカチなどを当て布にして、直接アイロンがシャツに当たらないように工夫してもいいでしょう。

シャツのアイロンは、まず衿部分からかけはじめます。シャツを着たときに裏になるところ、裏衿からかけます。衿先から中心に向かって一方を軽く引っ張り、余分なたるみを衿のつけ側にいせ込むような感じでかけていきます。台衿はボタンがアイロンマット面になるようにシャツをひっくり返して置き、台衿の先から中心に向かってかけていきます(写真1)。

次はカフスです。カフスも裏側からかけていきます。両端から中心に向かって、たるみをカフスのつけ側にいせる感じで(2)。

袖をかけます。袖は剣ボロをアイロンマット面にして袖下からかけはじめます。袖下の縫い目が洗濯で少し縮んでいるため、軽く引っ張ってかけるといいでしょう(3)。もう片面も同様の手順でかけますが、剣ボロはカフスを開き、裏からアイロンの先で丁寧にかけてください。

次は身頃のアイロンです。まず前身頃から、左右はどちらでもかまいません。裾から衿に向かってかけていきます。大きい面なので手でしわをさばきながら手早くかけますが、ボタンのそばは慎重に。ボタンに直接熱が加わってしまうとひび割れの原因になるので、アイロンが長時間直接触れないように注意してください(4)。

後ろ身頃をかけます。前身頃同様に裾から衿に向かってアイロンをかけます。脇の縫い目も洗濯で縮んでいるため、袖と同様に軽く引っ張ってかけます。背中にタックがある場合は、タックを開いてアイロンをかけてから、きれいにたたんで形を整えます(5)。

最後にヨーク部分です。ここは衿や袖、身頃とのはぎが集中しているので、あまり強くかけると縫い代がアイロンの熱でこて光りしてしまうので、軽くすべらすようにかけます。

かけ終わったシャツは、スーツ用の肩の厚いハンガーにかけて風通しのいい場所で陰干しします。たたまずにそのままの状態でかけておくのが形崩れしない保管方法です。たたむ場合は、せっかくきれいにアイロンをかけたのですから余分なしわがつかないように、慎重に行ないます。その場合、ボタンはすべてとめ、左右対称にたたみます。特に衿はつぶれやすいので、僕はシャツを購入したときについてくるセルロイドのカラーキーパーを捨てずにとっておいて、それをネック回りにとりつけておきます。重ねて保管した場合でも衿がつぶれないのでとても便利です。特に海外出張にはいつもシャツを4～5枚は持っていくのですが、その場合もこのカラーキーパーをつけて鞄に入れていきます。やはり出張先や旅行先でも衿はきちんとしていたいですからね。

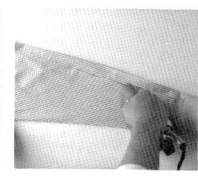

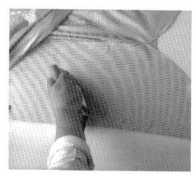

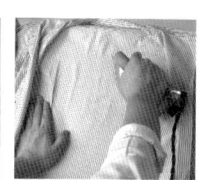

1 2 3 4 5

no.15

ミリタリーシャツ

ちょっと風変わりなシャツです。ミリタリーウェアをイメージしているので、どちらかといえばアウター向きのデザインシャツです。ディテールとしてはエポーレット(肩章)や肩当て、補強布をつけたポケット、そのほか部隊識別ワッペンなどの小物をつけてミリタリーテイストを表現しています。実際の軍服は機能性重視のデザインですから、袖も最初から腕を上げやすいようにカッティングされた曲がった形で、不格好なもの。ですから軍服のディテールだけを取り入れています。ただビンテージ感を出したかったので、ところどころ紙やすりでこすってダメージを加えて仕上げました。作り方 p.75

no.16

ワークシャツ

「アメリカのセキュリティ会社の古い制服」というストーリー性を、僕なりにイメージして作ったビンテージ風のワークウェアです。ワークウェアのイメージ作りにはワッペンがとても役立ちます。かなりおもしろいものが市販されていますから、探してみるのも楽しみの一つですね。そしてあくまで古着という設定なので、これも紙やすりやカッターなどでほつれや破れを再現してみました。その後、洗濯機で強めに洗いをかけてから、丁寧にほつれや破れを修理してリアルな感じを出しています。ちょっと面倒ですが新品にはない味が出ていてよくできたと思います。作り方 p.76

DAMAGE and REPAIR

ダメージ

最近のカジュアルウェアは、ジーンズなどでよく見る、わざと破れを入れたりするダメージ加工や補修加工が入ったものが、程よいビンテージ感が出るということで人気があります。45ページで紹介したワークシャツも新品をあえて一度ほろぼろにして、その後丁寧に修理しています。そうすると何年も着古した古着のような感じを出すことができます。ここではダメージ加工の方法と修復のしかたを解説していきます。

まずダメージ加工ですが、240番〜500番くらいの目の粗い紙やすりと、カッターを準備します。手順としてはまず縫い上がった完成品を用意します。次に実際に試着して、ダメージを加える部分を決めます。実際に破れる可能性のある部分としては、カフスの端やひじ回り。ほかは裾、衿、ポケット、肩やアームホール、ヨークなどの縫い目の重なっている部分が、何年も着用したときにどこに力がかかってどう破れるのか?ということをイメージすることが大切です。次に、それぞれのダメージを与えたい部分に、紙やすりを当てて強めにこすっていきます。紙やすりは適当な大きさにちぎって人さし指に巻きつけてからこすると、力の加減がしやすいです（写真下）。

その後、衿の先端やカフス端、ポケットのフラップ端などの先端部分の細かいところはカッターで削り取っていきます。その時、カッターの刃を削る布の表面に直角になるように当て、そのまま横にスライドさせるように左右に動かしていきます。普通の使い方のように動かしてしまうと生地が切れすぎてしまうため、カッターの刃でこするような感じで削り取っていきましょう。何回もこすっているとやがて生地がほろぼろになってくるので、適当な加減で、破れる前にストップしてください。あまりにやりすぎても補修の箇所が多くなってしまうし、かえってわざとらしくなってしまいますので注意してください。

その後一度洗濯機で洗いますが、この時は普通の洗濯のように洗ってかまいません。新しい生地には油分が含まれていたりするので、古着っぽいイメージが出しづらいと思いますから、洗剤も入れて洗濯して風合いがよくなるようにしておきます。

補 修

洗い上がると、ところどころがほつれて、穴があいてしまっている状態になっていると思います。そのまま普通に乾燥させて乾いたら、次は修復の手順に入ります。

修復で用意するのは針と糸ですが、糸はなるべく番手の太いもの、例えば刺繍用の糸とかボタンつけ糸くらいがいいと思います。ミシンの縫い糸だと細すぎてしまうので、なるべく太いほうが見た目もはっきりわかるし古着の味わいも出やすいからです。その時、補修する糸の色味は、生地よりちょっと暗めだったり、違う色にしてもおもしろいと思うのでチャレンジしてみてください。

修復は特に破れてしまっている箇所を中心に直していきます。ただ、あまりきれいに直してしまうと古着っぽさが出ないので、なるべく大ざっぱにやるのがこつです。また、ミシンを使ってかけはぎの要領でジグザグにステッチをかけるのも効果的でしょう。この修復のようにワッペンを使ったり、別布を裏から当てたり、いろいろと自分なりに工夫してみるのもいいかもしれませんね（写真下）。

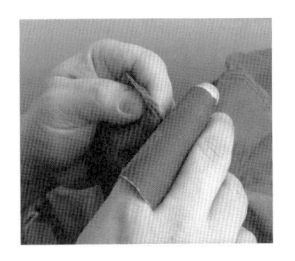

DOTTED-BUTTONS

ドットボタンはボタンの代用として、とめはずしが簡単にできることから、主にカジュアルなデザインや素材に使われています。ホックともいい、特殊な機械で直接衣類に打ちつけるもの。ここでもう少しドットボタンのことを詳しく説明しましょう。ドットボタンは、上前側につくメスといわれる頭（キャップパーツ）とバネ（ソケットパーツ）とホソ（ポストパーツ）、下前側につくオス（アンダーパーツ）の上下を一組とし、構造上次の4種類に分けられます。

● 丸バネホック
いちばん頑丈で耐久性があり、肉厚の生地やとめはずしの多いものにつけられます（写真 a）。

● 2本バネホック
丸バネと比較した場合、とめはずしが楽で生地に負担がかからないため、薄い生地にもつけることが可能です（b）。

● スナッパー
キャップの代りに5本のつめがあるリング（ツメ）がつきます。ホソのパーツもリングと同じものがつきます。生地をとめつける面積が少ないため、伸縮性のある生地や極薄の生地などに適しています（c）。

● ネオバー
ネオバボタンともいい、主にジーンズに使用されます。頭と脚と呼ばれる二つのパーツで構成された、とても丈夫ではずれにくいボタンです。脚の部分をつぶして頭とつけるので簡単ですが、特別な打具を使用します（d）。

ドットボタンのつけ方

ドットボタンは「打具」という機械を使って衣服に直接とりつけます。これにはハンドプレス機、足蹴機、半自動機、自動機という専用の機械があり、強い力をかけてドットボタンのパーツを固定するもの。この打具でドットボタンをとりつけるためにはさらに「プレス駒」(e) と呼ばれる専用のパーツが必要になり、プレス駒はドットボタンの種類や大きさに合わせて交換します。

これらの機械とパーツはとても高価で、一般の家庭で購入するのは難しいものですが、洋裁道具を取り扱う大きな手芸材料店などで打ってくれるところがあります。できればこうしたところでドットボタンをとりつけてもらえば失敗することもないので安心です。でも一般に市販されているパッケージされたドットボタンは、そういった打具がなくても木づちでたたいてとりつけるものやプライヤー (f) という道具を使うと簡単にできますよ。

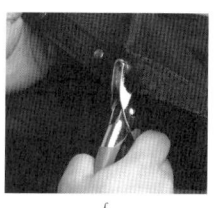

e　　f

a　　b　　c　　d

no. 17

ウェスタンシャツ

このシャツはロデオシャツ、カウボーイシャツともいわれていますが、一般的には山形にカットされた三角形のヨークを「ウェスタンヨーク」と呼ぶところからウェスタンシャツと呼んでいます。これはアメリカ西部のカウボーイや開拓者たちが好んで着ていたもので、パールやホーン（動物の角）、石を埋め込んだ装飾的なドットボタンがついています。胸には花の刺繍を入れたりして、実用というよりはお祭り用としての装飾が施される場合が多かったようです。ここではデニムの生地を使って装飾は省いてシンプルに仕立ててから、日にやけてあせた感じを出すために脱色し、その後さらに泥っぽい色の染料を使ってオーバーダイ（染色）をしています。作り方p.77

プルオーバーシャツ

このシャツがほかと大きく違うのは、前のあきが途中までで止まっているデザイン。頭からかぶって着るタイプなのでプルオーバーシャツと呼ばれています。アメリカの古いワークシャツなどに多く見られるディテールです。無骨なアメリカ的なディテールのシャツにブリティッシュテイストのタータンチェックの生地を使って、ちょっと遊んでみました。このシャツはほかに厚手のウール生地なんかを使って作ってもおもしろいと思います。もちろん洗濯機で強めに洗いをかけてくたくたにしてアイロンなんかかけない。1970年代の中ごろにアメリカ西海岸で流行した着心地最優先の「ヘビーデューティファッション」をイメージして着るのも格好いいですね。作り方 p.78

no. 18

How to BLEACH

脱色のしかた

「ブリーチ(bleach)」という言葉を一度は聞いたことがあるのでは？このブリーチとはいわゆる「漂白」という意味です。一般家庭での洗濯にも市販されている漂白剤を使いますが、僕らはもっと強力な薬剤を使用して色を落とします。今回デザインした中で特にデニムを使用したシャツなどは、縫い上がったままだと新品すぎて全然おもしろくない。だから作品のように思い切ってブリーチすることをおすすめします。もちろん一度洗濯したものをそのまま着ていただいてもいいのですが、ここではやはり素材の特性を生かしてビンテージ風に仕上げる方法を解説していきます。

まず用意するのは漂白剤。家庭用に市販されている漂白剤でもいいのですが、濃度が薄く、脱色までに何時間もかかってしまいます。そこで僕は「高度カルキ」という食品添加物にもなっている薬品を用意します。薬局や染料などを扱っているお店で入手できます（写真1）。さらに高度カルキを溶かすための大きなたらい。脱色するシャツをそのまま浸せるので便利です。決して洗濯機に高度カルキは溶かさないようにしてください。溶液が回転した洗濯槽から飛び散って目に入ったらいけないからです。そしてゴム手袋も用意します。

準備ができたらシャツ1枚に対して高度カルキをコップ1杯分（200グラム）たらいの中に入れて、ゆっくり飛び散らないよう気をつけながら水をたらいの半分まで注ぎ入れます。

次に高度カルキを溶かします。カルキ剤が水に溶けると特有のにおいが発生します。吸い込むと頭痛がする場合がありますから、長い棒を使用して、なるべくたらいから離れてゆっくりかき混ぜて溶かします。

カルキ剤の粒が残っていないことを確認したらシャツを作ったときの残り布を浸して、漂白液の濃度をチェックします。その時、残り布は水でぬらしておきます。

残り布を漂白液の中に浸すと、布の色が少しずつ落ちはじめるので、自分の思う色になったら引き上げ、水で漂白液をよく洗い流します。その時の浸しておいた時間を覚えておきます。生地は乾くと色が薄くなるので、「少し濃いかな？」と思うくらいで引き上げるといいでしょう。

これで脱色用の漂白液ができました。そこに水に浸して脱水したシャツをつけ込んでいきます。むらにならないように手早くつけ込み、よく浸透するように手袋をした手でシャツをもむようにするといいでしょう（2）。

残り布と同じように色が落ちてきたら引き上げ（3）、すぐ流水ですすぎをします。この時よくすすがないとむらになってしまう原因になりますので丁寧にすすぎます。洗濯機の流水モードなら10分が目安。

脱水後、日陰で乾燥させたら、完成です。写真4は漂白液に5分ほどつけた脱色後と脱色前を比較したものです。脱色加工で気をつけるところは、漂白液が衣服などに飛び散らないようにすること。必ずゴム手袋を着用すること。使用後の漂白液はすぐに捨てること。高度カルキは劇薬に相当する成分もありますから、小さな子どもがいるかたは充分取扱いには注意して行なってください。

脱色加工はいろいろ注意することはありますが、実際やってみると簡単にできます。デニムのシャツ以外にもいろいろ試してみるのもよいと思いますよ。

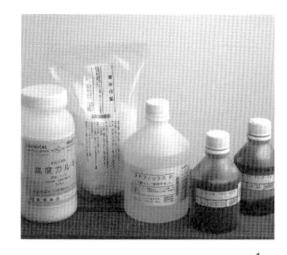

1　　　　　2　　　　　3　　　　　4

How to DYE

染めてみましょう

家庭でする場合、いちばん面倒で設備的に難しいのがこの染色だと思います。僕の事務所にはいつでも染められるように染料や染め釜が置いてあって、少ない数量の注文であれば自分で染めてしまいます。染料で壁や床が汚れたり、使用した洗濯機も後始末が大変ですが、ぜひ一度チャレンジしてみてください。ここでは本格的な染色というより淡色で染める方法を紹介しましょう。

まず準備するのは染め釜です。これはシャツが入るくらいの使い古した鍋などがいいと思います。なければ金製のたらいやバケツでもいいでしょう。それと染料はスーパーマーケットや工務店、ホームセンターに「ダイロン」という染め粉がありますから、そういったものを使います。今回はプロが使っている本格的なもので、綿など染める場合に使う直接染料（シリアス染料）で染めました。そのほか染色助剤として無水芒硝（薬局などで入手可能）を用意します。これは染料の分子が繊維に結びつきやすくするために入れるものですが、代用品として塩でも可能です。無水芒硝は淡色の場合は染めるものの重さの5％程度（濃色に染める場合は20％）の割合で使用します。塩で代用する場合も同様です。そしてゴム手袋を必ず用意し、着用してください。

さて、ひととおり準備できたら染料を50℃くらいのお湯に溶かして染色液を作ります。シャツ1枚程度でしたらだいたい大さじ1杯の染め粉に対して約1リットルのお湯を用意し、助剤も約大さじ1杯の割合でよく混ぜ合わせます。この時注意する点は完全に染料を溶かすことですが、染め釜の大きさに比例して染色液の濃度を一定に保たないとむらに染まる原因になりますから注意してください。

50ページで脱色したシャツを染めましょう。古着のビンテージ感を表現して薄汚れた感じを出すために、砂や泥汚れをイメージさせるこげ茶色の染料を使用します。一度染色したものの上に、さらに染める場合は「オーバーダイ」といい、ビンテージ風のジーンズなどはこの技法を使って染められているものです。脱色したデニムのシャツもより風合いを出すために、紙やすりで衿や裾、肩などをこすってすり切れた箇所を作り、さらに古着っぽく加工します（写真1）。そして再度水洗いして脱水しておきます。

染色液にシャツをつけ込みます。最初はとても濃く色がつきますが安心してください。見た目は濃く染まっているようでも、染色液の温度が低いために染料の分子がなかなか繊維に吸着しません（2）。容器ごと火にかけて熱を加えるとよく染まりますが、それではデニムの風合いがなくなって濃く染まりすぎてしまいます。50℃くらいの温度で20分程度時間をかけてよく攪拌しながら染めてください。染め上がったら洗濯機に入れてすすぎをします。すすぎ水がきれいになったら最後に色止め剤を加えます。これもなかなか一般では入手しづらいものですが、色止めをしておくと着用した後も色移りを防ぐので、しておくほうがいいです。「タナフィックスP」、ダイロンの「カラーストップ」という品名で染料店やホームセンターなどで市販されています。こうして完成したのが48ページの作品です。なかなかいい感じに仕上がりました。

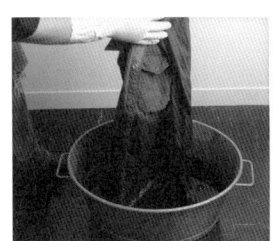

1

2

ファスナーがポイントの
カジュアルシャツ

縦と横のファスナーをつけた変りポケットのデザインです。インナーとして着るよりはシャツジャケット風にはおって着るためのシャツ。ここで使った生地は硫化染料という藍染めなどと同じ染料で染められている素材。水洗いすると簡単に色が落ちてしまうことがあるのですが、ビンテージ感を出すにはかえって都合がいいので、こういった「色落ち注意」という注意書きを探してみてください。ただ触っているだけで色落ちするものもありますから扱いには気をつけてください。特に仕立て上がってから洗濯すると、縫い代のあたりが出やすいので、僕にとってはとても便利な生地です。作り方 p.79

no.19

ファスナーがポイントの
ウールシャツ

no.19と同じパターンで生地だけを替え
て、素材をウールにして冬の防寒シャツ
に仕立ててみました。ウール素材はちく
ちくするため、直接肌に触れる衿や袖口
の裏台衿と裏カフスにはサテン地を使っ
ています。僕はウールシャツといえば古
着の『ウールリッチ』や『ペンドルトン』
などのアメリカのアウトドアブランドを
思い出してしまうのですが、最近はあま
り着られなくなってしまいました。ウー
ルは取扱いが面倒で、特に洗濯は注意
しなければ縮んでしまうから敬遠されて
しまうのでしょう。でもそれがウールの
魅力でもあるので、洗濯でできた毛玉や
フェルトっぽくなってしまった風合いが
好きで僕は着ています。洗濯してよれ
よれになって多少縮むのも味として大目に
見てくださいね。作り方 p.79

The method of MEASUREMENT

この本についている実物大パターンを使用する場合は、下記の寸法表をもとに当てはまるサイズのパターンを選んでください。その際、正確な採寸をしておきましょう。実物大パターンはドレスシャツ、カジュアルシャツそれぞれS、M、L、XLの4サイズにグレーディングしています。ドレスシャツは体にフィットしたシルエットで、カジュアルシャツはわりとゆったりとしたシルエットです。それぞれのヌード寸法とパターンのでき上り寸法を参考にしてください。ヌード寸法は標準のA体型をベースにしています。

採寸のしかた

通常の下着やTシャツを着用して、自然な姿勢で立った状態ではかります。

1 ネック寸法
首のつけ根よりやや上、のど仏の少し下の首の回りをはかります。この時の寸法にゆとり分として2cm足した数値が基本のネック寸法です。

2 チェスト寸法
チェスト（胸回り）は両脇の腕のつけ根の下をぐるりと一周した寸法。その際に水平にはかれるように注意しましょう。ドレスシャツは実寸にだいたい14cm、カジュアルシャツは20cmのゆとりをプラスしたものが基準です。

3 手首回り
手首の内側と外側の突出している骨を通る位置の回りをはかり、それに1cmプラスした寸法。これがカフスの仕上り寸法です。

4 ゆき丈
まず、おじぎをした状態で首の後ろ中央の出っ張った骨が基準点（バックネックポイントBNP）になります。その背中心から肩先のいちばん出ている骨（ショルダーポイントSP）を通って親指のつけ根まではかります。ドレスシャツの場合は親指のつけ根の2cm上までのほうがフィットし、より美しく見えます。

5 着丈
バックネックポイント（BNP）から真下に下ろしてはかります。着丈の裾の基準は、手を自然に下ろした状態でだいたい小指の先と水平になるくらいがいいでしょう。

6 肩幅寸法
ショルダーポイント（SP）からバックネックポイント（BNP）を通って反対側のショルダーポイントまでやや山なりにカーブした状態ではかります。ドレスシャツの場合はその寸法から1cmマイナスした数値がフィットした着用感になります。カジュアルシャツはその反対に1.5cmのゆとりをプラスしています。

パターンサイズの選び方

●ヌード寸法
メンズの場合、下記のようなヌード寸法を基準にS、M、L、XLの数値を設定しています。特にシャツは衿とカフスの部分が重要ですのでそれを基準に、各社オリジナルの寸法を用いて製品を作製しています。基本的にはネック寸法に合わせてゆき丈を2cmのピッチで大きくし、それにカフスを合わせてあるのが一般的です。例えば、市販のシャツは40cmのネック寸法に対してゆき丈が82cm、84cm、86cmと同じ胸回り寸法でもゆき丈の変化があるのです。特に腕の長さは個人差があるため、袖のパターンの操作が必要になるかもしれません。

付録の実物大パターンを利用する場合は、まず最初にネック寸法をもとにパターンサイズを選んでください。

サイズ表　　　　（単位はcm）

	名称＼サイズ	S	M	L	XL
ヌード寸法	身長	155〜165	165〜175	175〜185	185〜195
	胸回り	90	92	94	98
	ウエスト	78	80	84	86
でき上り寸法　ドレスシャツ	ネック寸法	39	40.5	42	43.5
	ゆき丈	82	84	86	88
	肩幅	42.5	44	45.5	47
	胸回り	104	108	112	116
	手首回り	20	20.5	21	21.5
でき上り寸法　カジュアルシャツ	ネック寸法	40	41.5	43	44.5
	ゆき丈	84	86	88	90
	肩幅	45	46.5	48	49.5
	胸回り	110	114	118	122
	手首回り	20.5	21	21.5	22

SIZE of ready-to-wear

既製品のサイズ選び

既製品のシャツを購入する場合、特にドレスシャツやビジネスシャツはスーツに合わせて着用するものですから、できるだけ体にフィットしたものを選びます。市販されている既製品のほとんどはネック寸法（1cmピッチ）とゆき丈（2cmピッチ）のサイズ表示です。前もって着用するかたのネック寸法とゆき丈を把握しておくといいでしょう。カジュアルシャツは、身幅がわりと大きく作られていますからS、M、Lだけの簡単な表示が多いのですが、この場合もネック寸法とゆき丈がわかっていれば問題ありません。自分自身の採寸は一人ですることができませんから、誰かに頼んではかってもらいます。ただ、慣れていないと正確にはかるのは難しいため、実際に購入するお店ではかってもらうのがいちばん安心です。

試着できる場合は、下記の箇所をチェックするといいでしょう。

● ネック寸法
シャツを購入するときに一番の決め手になるのがネック寸法です。台衿のボタンをきちんととめ、だいたい指1本が入るゆとり（1.5〜2cm）があれば最適です。

● ゆき丈
ゆき丈には、ひじを折り曲げたときのゆとりが必要です。ジャスト寸法の長さの袖は、カフスのボタンをとめた状態でひじを折り曲げるときつく感じてしまいます。また、ひじを折り曲げたときにできる生地のしわのために袖が上がって短く見えます。腕をまっすぐ下ろしたときに、カフスの先が親指のつけ根から2cmぐらい上になるのがベストです。

● 肩幅
腕をまっすぐ下ろし、正面から見たときに袖ぐりの縫い目がSPの位置にくるのが適正といわれています。最近は上着のシルエットがスリムになり、上着自体の袖ぐりが狭くなっています。そのためシャツも上着を着用したときに中で余分なだぶつきが出ない、実際の肩幅より狭い小さいものがいいでしょう。

● 身頃
胸回りはチェスト寸法のゆとりを目安にします。身頃は胸のあたりが大きすぎず、きれいに落ちるシルエットのものがいいでしょう。ウエスト回りは胸回りより10cmぐらい少なめのものがちょうどいいフィット感です。

● 着丈
短すぎるとパンツから裾がはみ出してしまい、長すぎるとおしりの部分でたまってしまうため、見た目も着心地もよくありません。ちょうどおしりが隠れるくらいの長さがおすすめです。

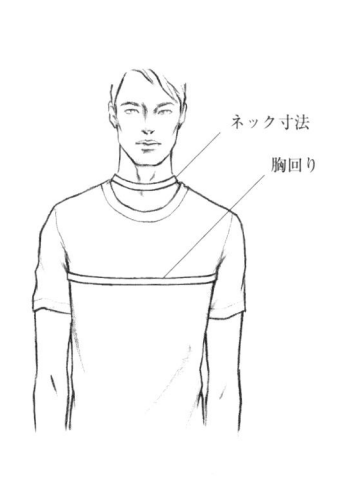

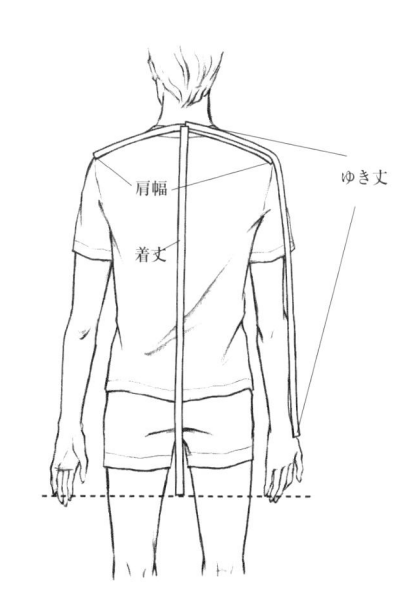

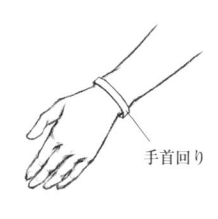

作品の作り方と実物大パターンの使い方

ここで紹介した作品の作り方を 58 〜 79 ページで解説しています。
各デザインのパターンは、2枚の付録の実物大パターンの中にすべてのパーツが入っています。ドレスシャツ no.1 〜 no.10 は 1 枚めと 2 枚めの黒色の面で、カジュアルシャツ no.11 〜 no.19 は 1 枚めと 2 枚めの緑色の面にあります。紙面の都合で重ねて配置していますので、ハトロン紙に写し取ってから使ってください。必要なパターンは作り方ページにパーツごとにつけられたアルファベットで指示していますが、それぞれ二つのタイプのパターンは形が酷似しています。間違えないように、まず必要なパターンの使用するサイズの線をラインマーカーなどでしるしておくと写し取る作業が楽になります。
また、デザインによって部分的に異なる前端とポケットのつけ位置などは作り方ページをごらんください。

シャツ工程分析表

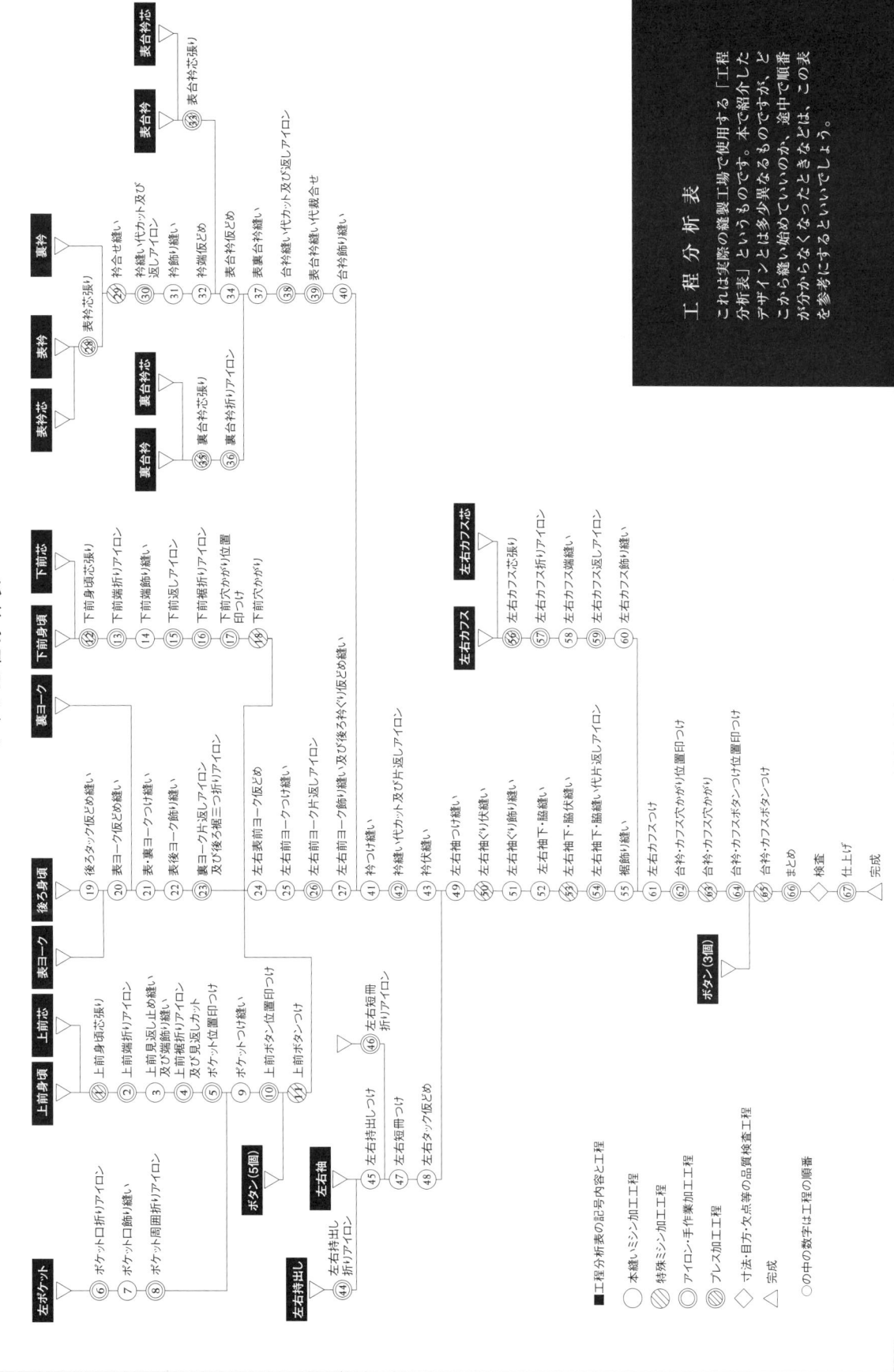

工程分析表

これは実際の縫製工場で使用する「工程分析表」というものです。本書で紹介したデザインとは多少異なるものですが、どこから縫い始めていいのか、途中で順番が分からなくなったときなどは、この表を参考にするといいでしょう。

上前身頃
- ① 上前身頃芯張り
- ② 上前端折りアイロン
- ③ 上前端折り縫い及び裾折り縫い
- ④ 上前裾折りアイロン及び見返しカット
- ⑤ ポケット位置印つけ

上前芯

裏ヨーク
- ⑨ 上前ボタン位置印つけ
- ⑩ 上前ボタンつけ

ボタン(5個)

左右袖
- ㊺ 左右持出しつけ縫い
- ㊼ 左右短冊つけ
- ㊽ 左右タック仮どめ

左右持出し
- ㊹ 左右持出し折りアイロン

左ポケット
- ⑥ ポケット口折りアイロン
- ⑦ ポケット飾り縫い
- ⑧ ポケット周囲折りアイロン

左右短冊
- ㊻ 左右短冊折りアイロン

後ろ身頃
- ⑲ 後ろタック仮どめ縫い
- ⑳ 裏ヨーク仮どめ縫い
- ㉑ 表・裏ヨーク片り縫い
- ㉒ 表後ヨーク飾り縫い
- ㉓ 裏ヨーク片返しアイロン及び後ろ裾三ツ折りアイロン
- ㉔ 左右表前ヨーク仮どめ
- ㉕ 左右前ヨーク飾り縫い
- ㉖ 左右前ヨーク片返しアイロン
- ㉗ 衿縫いしろカット及び後衿ぐり片返しアイロン
- ㊶ 衿つけ縫い
- ㊷ 衿縫いしろ片返し縫い及び片返しアイロン
- ㊸ 裏伏せ縫い
- ㊾ 左右袖つけ縫い
- ㊿ 左右袖ぐり伏せ縫い
- 51 左右袖ぐり飾り縫い
- 52 左右袖下脇縫い
- 53 左右袖下脇伏せ縫い
- 54 左右袖下脇縫いしろ片返しアイロン
- 55 裾飾り縫い
- 61 左右カフスつけ
- 62 合衿カフスボタンかがり位置印つけ
- 63 合衿カフスボタン位置印つけ
- 64 合衿カフスボタンかがり
- 65 合衿カフスボタンつけ
- 66 まとめ
- 67 検査
- 仕上げ
- 完成

下前身頃
- ⑫ 下前身頃芯張り
- ⑬ 下前端折りアイロン
- ⑭ 下前端飾り縫い
- ⑮ 下前返しアイロン
- ⑯ 下前裾折りアイロン
- ⑰ 下前穴かがり位置印つけ
- ⑱ 下前穴かがり

下前芯

裏合衿
- ㉟ 裏合衿芯張り
- ㊱ 裏合衿折りアイロン

裏合衿芯

表衿
- ㉘ 表衿芯張り
- ㉙ 衿合せ縫い
- ㉚ 衿縫いしろカット及び返しアイロン
- ㉛ 衿端仮縫い
- ㉜ 衿端仮どめ
- ㉞ 表裏合衿仮どめ
- ㊲ 合衿仮縫い
- ㊳ 合衿縫いしろカット及び返しアイロン
- ㊴ 表裏合衿片返し合せ
- ㊵ 合衿飾り縫い

表衿芯

裏衿

表合衿
- ㉝ 表合衿芯張り

表合衿芯

ボタン(3個)

左右カフス
- 56 左右カフス芯張り
- 57 左右カフス折りアイロン
- 58 左右カフス端縫い
- 59 左右カフス返しアイロン
- 60 左右カフス飾り縫い

左右カフス芯

■ 工程分析表の記号内容と工程
- ○ 本縫いミシン加工工程
- ◎ 特殊ミシン加工工程
- ⊚ アイロン手作業加工工程
- ⊙ プレス加工工程
- ◇ 寸法目方・欠点等の品質検査工程
- △ 完成
- ○の中の数字は工程の順番

57

シャツの縫い方

no.1（ドレスシャツの基本型）で実際の縫い方を解説してみます。

■準備

1　地直し

木綿や毛、アクリルが混紡された布地は、スチームアイロンの蒸気や、洗濯などで水分を与えると縮んでしまうことがあります。また布地自体がゆがんでいる場合がありますから、裁断する前に地直しをしておきます。まず、よこ糸を抜いて裁ち端をまっすぐにカットします。次に綿ローンやブロードなどの薄い布地は2～3時間水に浸し、脱水をせずに陰干しします。デニムなどは洗濯機で水洗いをし、軽く脱水してから陰干しします。どちらも生乾きのうちアイロンをかけます。このとき、布の耳を合わせて2つ折りにしたときに裁ち端がずれてしまうのはゆがんでいる証拠。ゆがんだ方向とは逆になるバイアスの方向に布を引っ張って布目を整え、アイロンをかけてください。

2　裁断

裁合せ図のように、布地の上に、写し取った縫い代つきパターンを大きいパーツから配置します。重しやまち針でパターンを押さえ、縫い代の縁にそって布をカットします。このとき、合い印の縫い代には3ミリの切込みを忘れずに入れてください。縫い代が少ない袖下や脇は、切込みを入れすぎないように注意してください。

3　芯張り

表衿、裏台衿、表カフスの裏面などに接着芯を張ります。接着芯は接着剤がついた面を布の裏面と合わせ、ハトロン紙や当て布をした上からアイロンをかけます。このときアイロンは滑らせないで押さえるようにして接着しましょう。芯を張った直後の布地は、アイロンの熱が取れるまで動かしてはいけません。布が伸びたり、くせがついてしまうので注意してください。

4　印つけ

基本的に印つけはしません。縫合せのときに布の裁ち端から針目までの距離を縫い代幅に合わせてかけます。ミシンに付属のステッチ定規を使うと便利です。ただし、折伏せ縫いで始末する袖つけは、身頃と袖の縫い合わせる位置が逆カーブになるため、それぞれのでき上り線をしるしておくと安心です。その場合、ブロードなどの綿素材はへらで、デニムやウールはチョークでしるします。

5　アイロン

身頃前端、カフス、袖山、袖口短冊と見返し、前後身頃の裾など、アイロンで折り上げるときは、はがきぐらいの厚さの紙で、アイロン定規を作っておくと便利です。

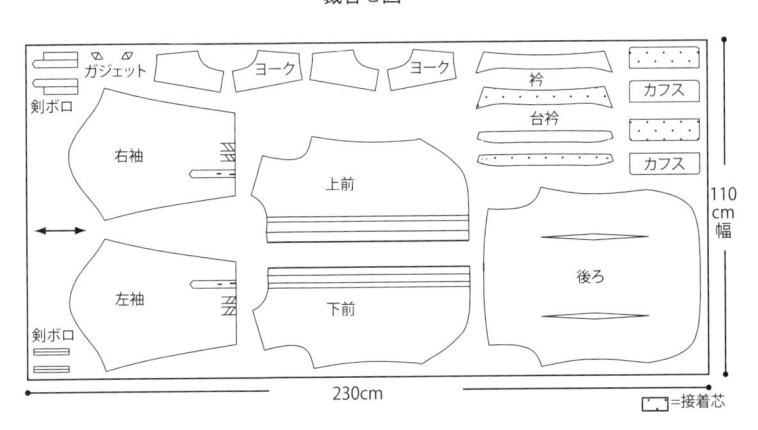

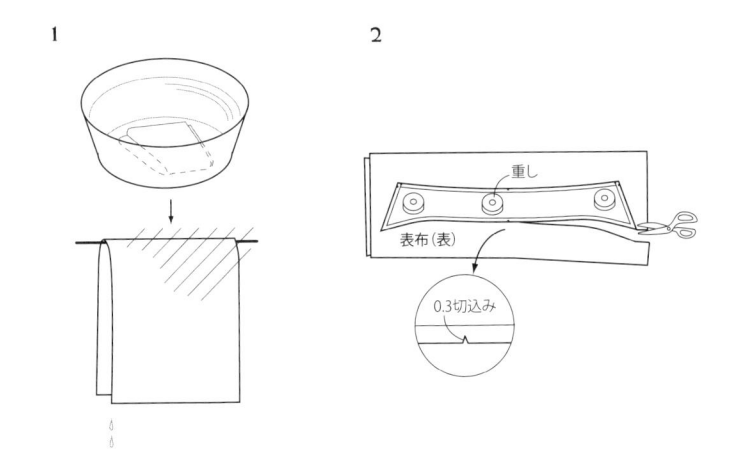

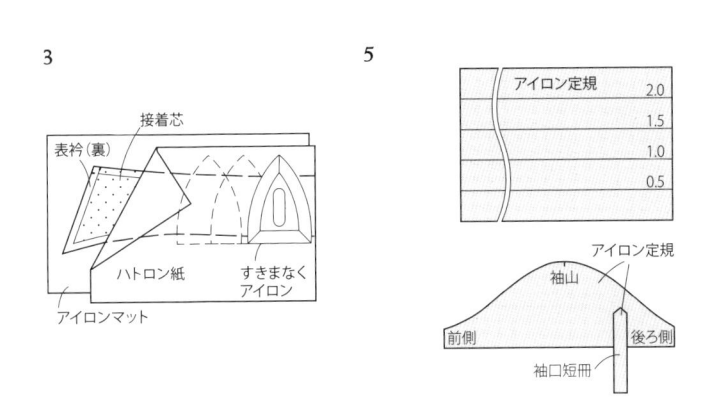

no.1 レギュラーカラーの白いシャツ p.10

レギュラーカラー + フレンチフロント + シングルカフス

■使用パターン（黒面）
上前身頃A 前端a・下前身頃C・後ろ身頃D・ヨークF・袖G・カフスH 剣ボロa・ガジェットN・衿P 台衿a

■本縫い順序

1. 前身頃の前端と裾の始末
2. 後ろ身頃のダーツを縫い、裾の始末
3. ヨークを作る
4. ヨークをつける
5. 衿を作り、つける
6. 袖口に剣ボロをつける
7. 袖をつける
8. 袖下と脇を縫う
9. カフスを作り、つける
10. ボタン穴かがりとボタンつけ

P.10 生地 / 小ダイアゴナル
P.11 生地・左 / マルチストライプ、右 / ペンシルストライプ
使用量（P.10、P.11 共通）
表布 =110cm 幅 2m30cm
接着芯 =90cm 幅 50cm
ボタンの大きさ =1.3 1.1

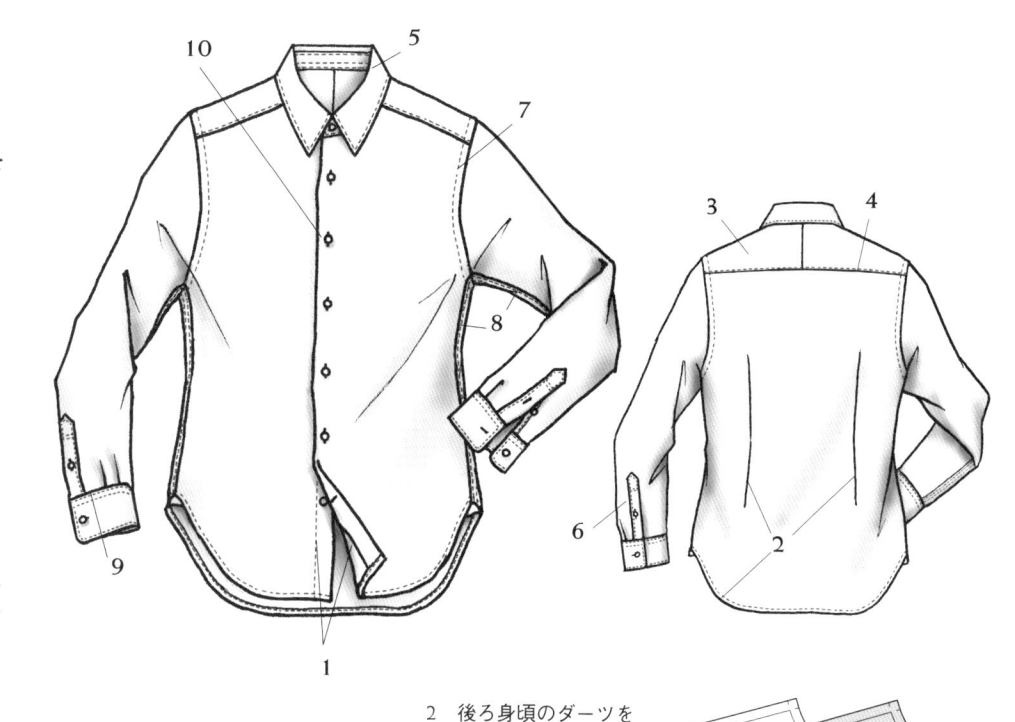

1 前身頃の前端と裾の始末

2 後ろ身頃のダーツを縫い、裾の始末

3 ヨークを作る

4 身頃にヨークをつける

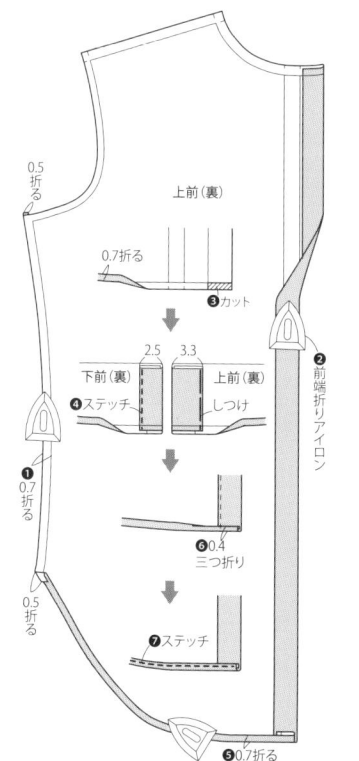

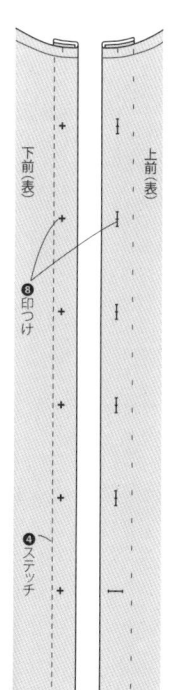

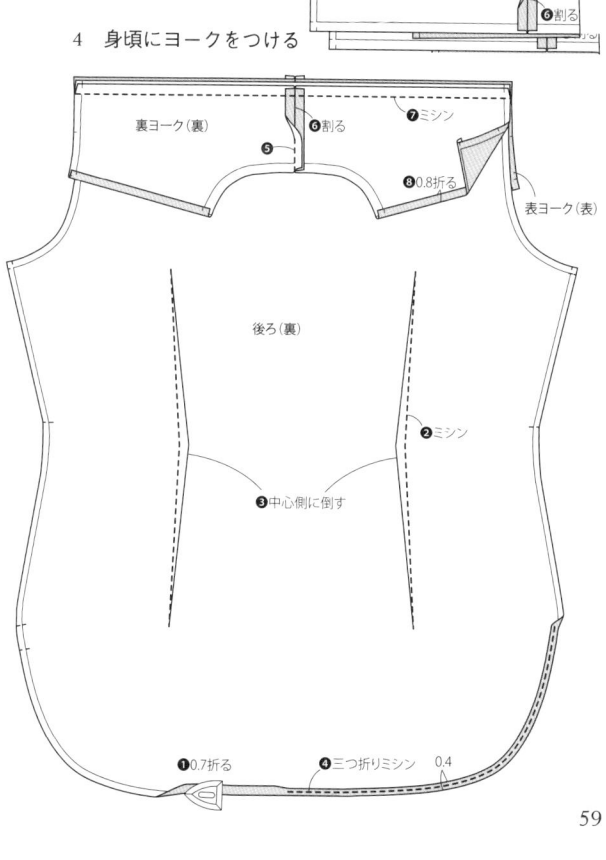

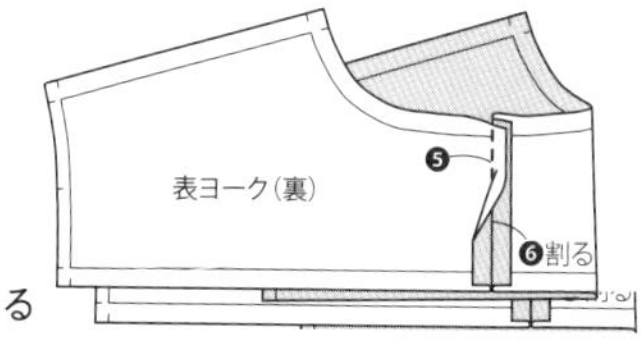

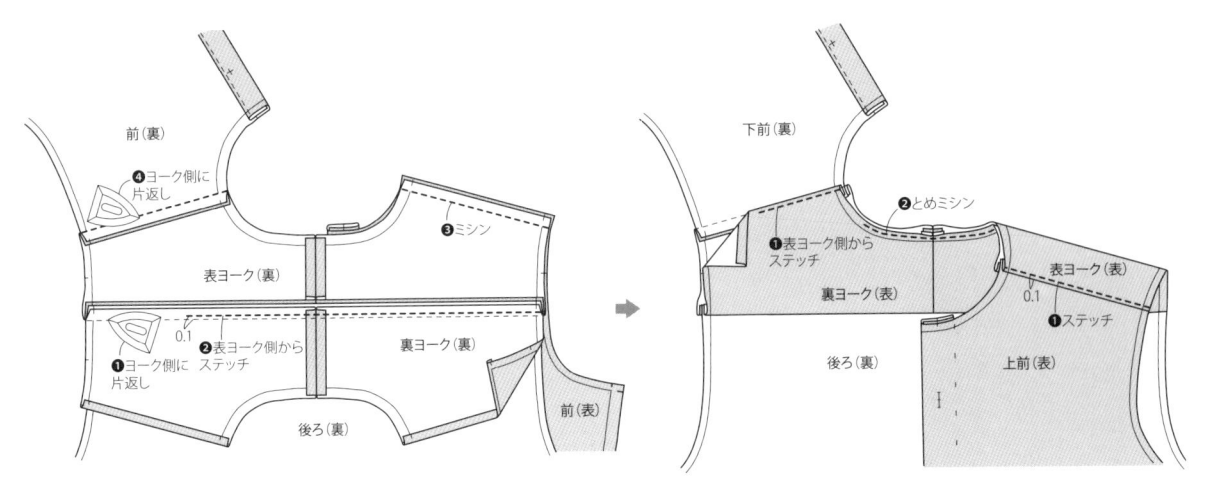

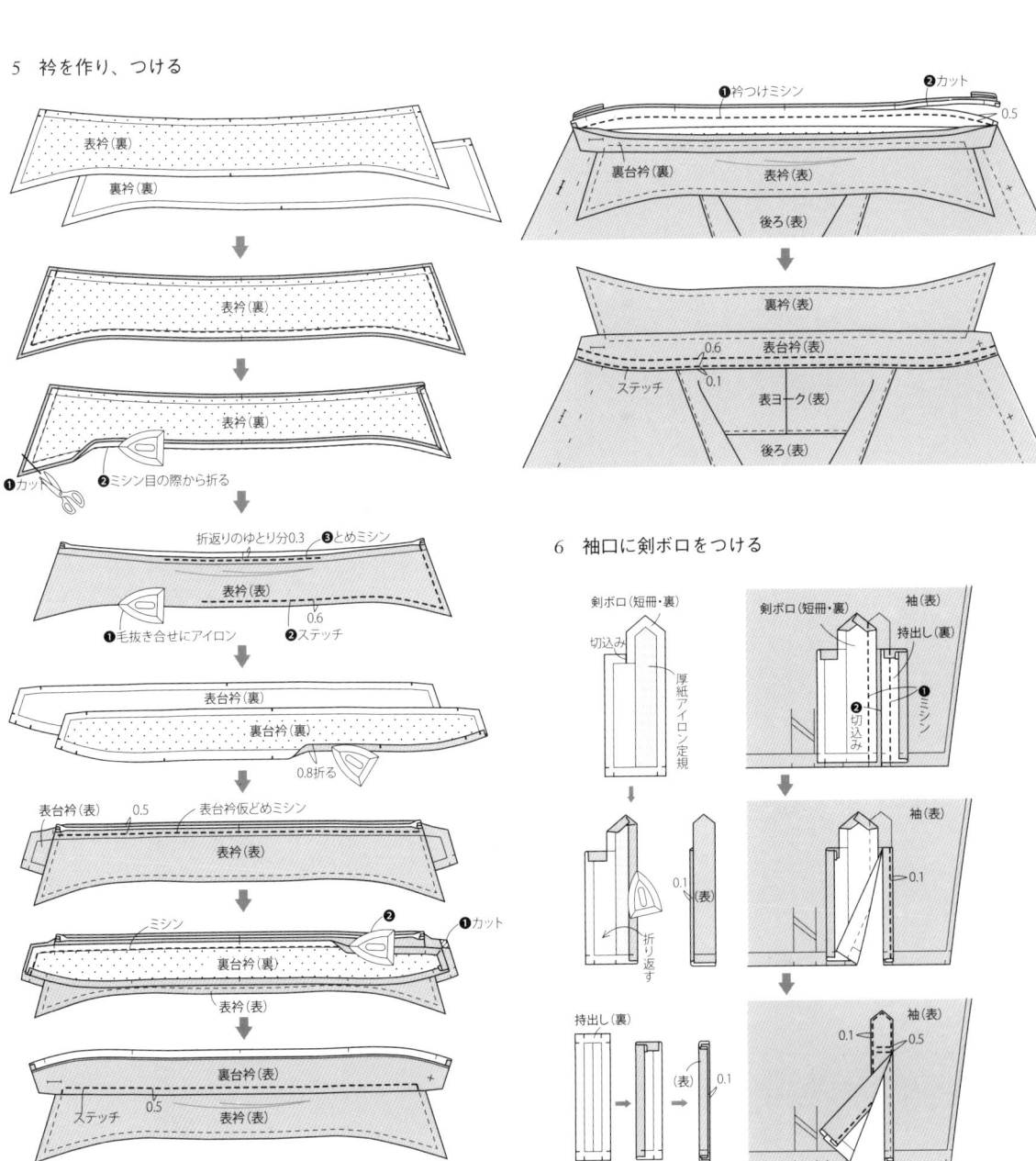

5 衿を作り、つける

6 袖口に剣ボロをつける

7 袖をつける（折伏せ縫い）

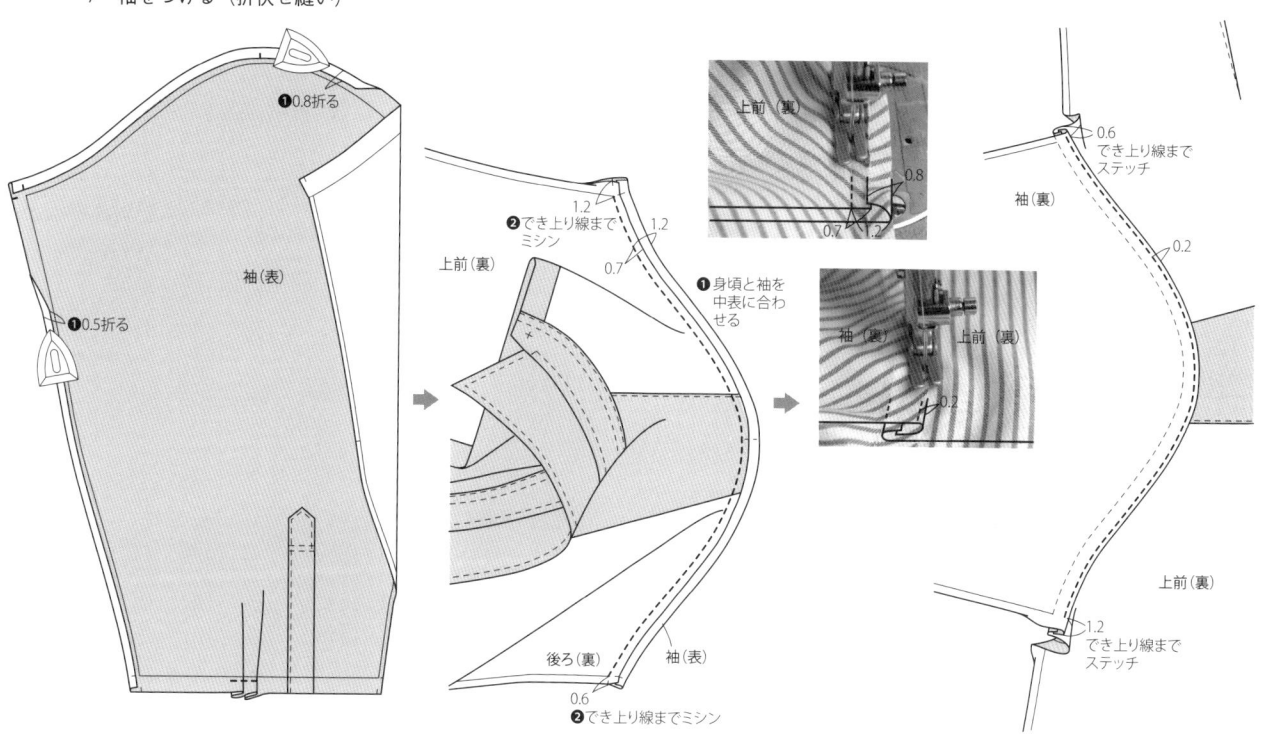

- ❶0.8折る
- ❶0.5折る
- 袖（表）
- 上前（裏）
- ❷でき上り線までミシン
- 1.2
- 1.2
- 0.7
- ❶身頃と袖を中表に合わせる
- 上前（裏）
- 0.8
- 0.7 1.2
- 袖（裏）
- 上前（裏）
- 0.2
- 0.6 でき上り線までステッチ
- 袖（裏）
- 0.2
- 後ろ（裏）
- 袖（表）
- 0.6
- ❷でき上り線までミシン
- 上前（裏）
- 1.2 でき上り線までステッチ

8 袖下と脇を縫う（折伏せ縫い）

- 左袖（裏）
- ❷表からステッチ
- ❸後ろ側に片返し
- ❶でき上りで折る
- ❹ステッチ

9 カフスを作り、つける

- 表カフス（裏）
- 裏カフス（裏）
- 1.3折る
- 表カフス（裏）
- ❷カット
- ❶ミシン
- ❸割る
- 裏カフス（表）
- 1.7 1.7
- 0.6
- 左袖（表）
- 裏カフス（裏）
- 表カフス（表）
- ミシン
- ❶
- 0.1
- 1.3
- 表カフス（表）
- ❷

10 ボタン穴かがりとボタンつけ

- 上前（裏）
- ガジェット（裏）
- ❷カット
- ❶0.5折る
- ❷カット
- 0.1ステッチ
- 脇線縫止りから裾側にステッチでとめる
- ガジェット（表）
- 0.6
- 後ろ（表）

no.2 フライフロントのブラックシャツ p.12

レギュラーカラー + フライフロント + カッタウェーカフス

■使用パターン（黒面）
上前身頃A 上前端b・下前身頃C・後ろ身頃D・ヨークF・袖G・カフスI 剣ボロa・ガジェットN・衿P 台衿a

■本縫い順序

1 前身頃の前端と裾の始末
2 後ろ身頃のダーツを縫い、裾の始末
3 ヨークを作る
4 ヨークをつける
5 衿を作り、つける
6 袖口に剣ボロをつける
7 袖をつける
8 袖下と脇を縫う
9 カフスを作り、つける
10 ボタン穴かがりとボタンつけ

生地 / 小紋柄のドビークロス
使用量
表布 = 110cm 幅 2m30cm
接着芯 = 90cm 幅 50cm
ボタンの大きさ = 1.3 1.1

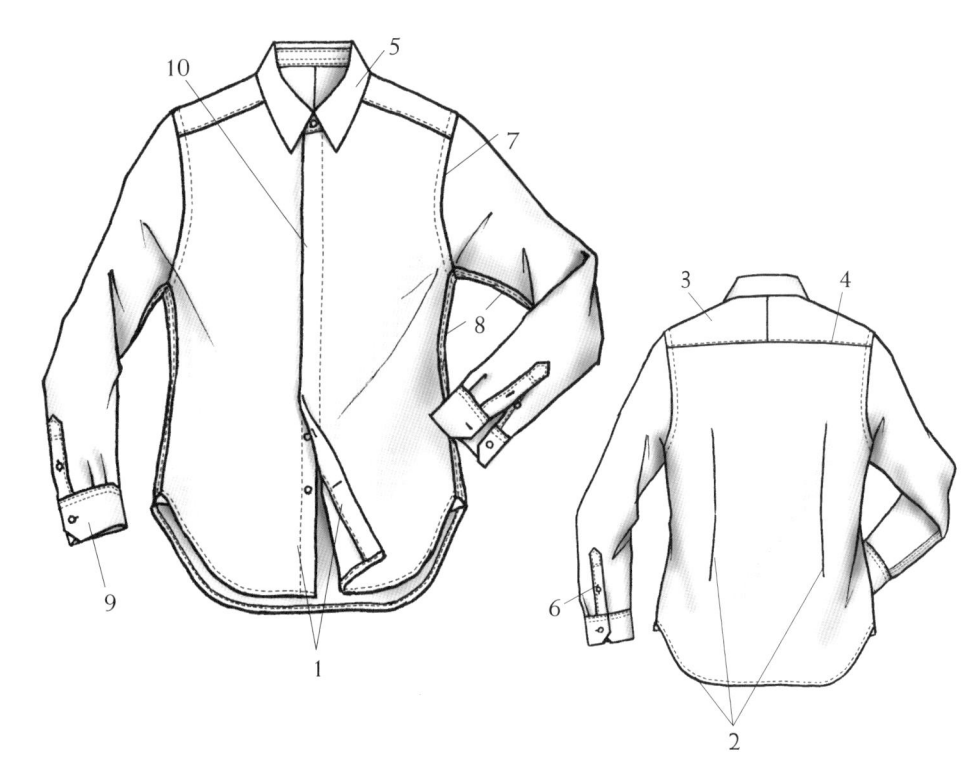

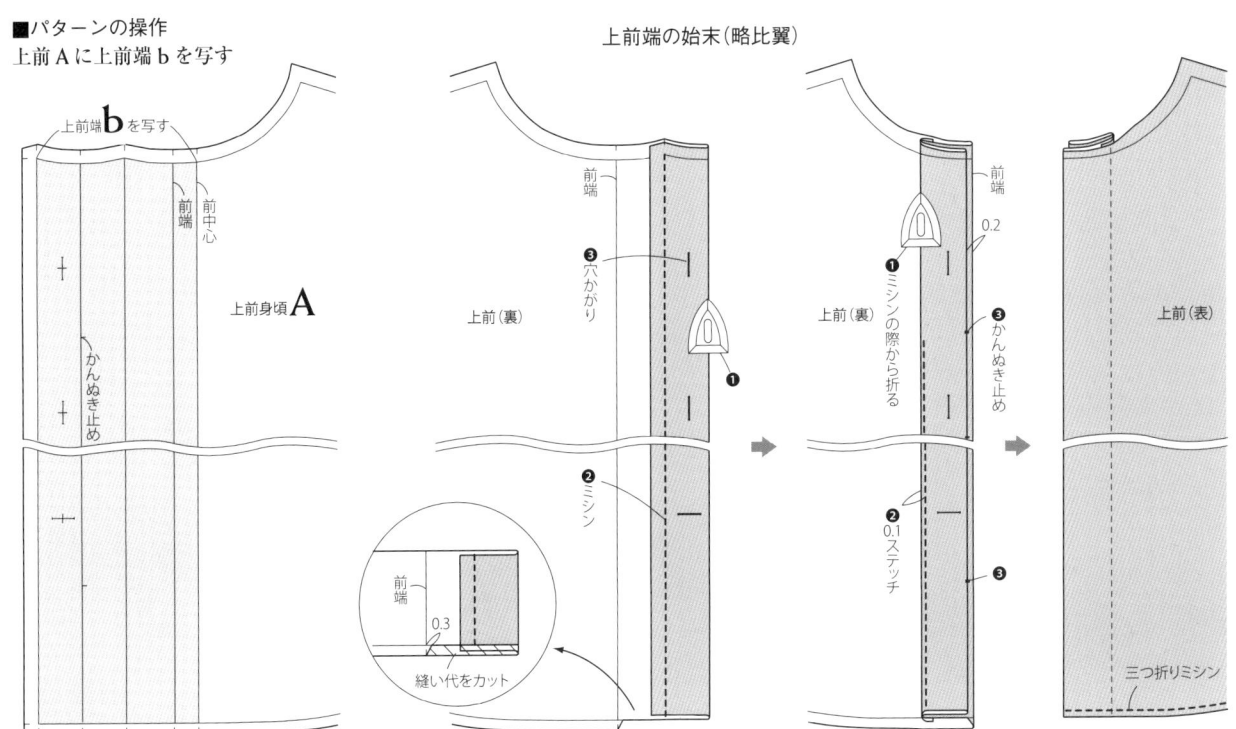

■パターンの操作
上前Aに上前端bを写す

上前端の始末（略比翼）

no.3 ボタンダウンのシャツ p.13

ボタンダウンカラー + プラケットフロント + シングルカフス

■使用パターン（黒面）
上前身頃A 上前端c 上前立てc・下前身頃C・後ろ身頃E・ヨークF・袖G・カフスH 剣ボロa・ガジェットN
衿Q 台衿b

■本縫い順序

1 前身頃の前端と裾の始末
　※上前端の始末は65ページ参照
2 後ろ身頃のタックを縫い、裾の始末
3 ヨークを作る
4 ヨークをつける
5 衿を作り、つける
6 袖口に剣ボロをつける
7 袖をつける
8 袖下と脇を縫う
9 カフスを作り、つける
10 ボタン穴かがりとボタンつけ

生地 / ヘリンボーン
使用量
表布 = 112cm幅 2m30cm
接着芯 = 90cm幅 50cm
ボタンの大きさ = 1.3 1.1

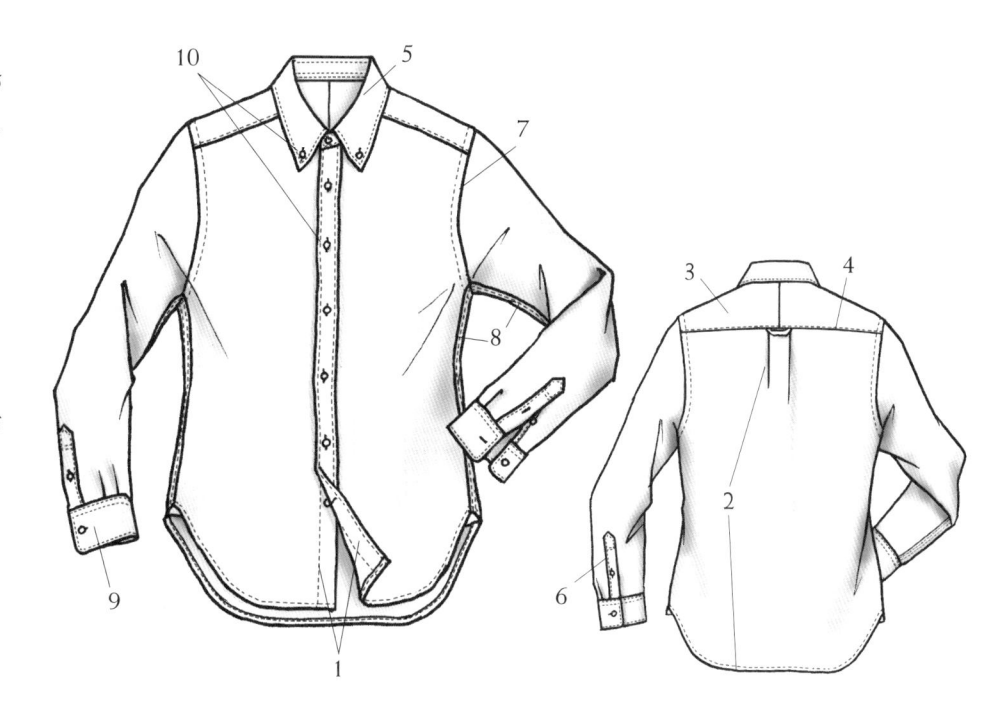

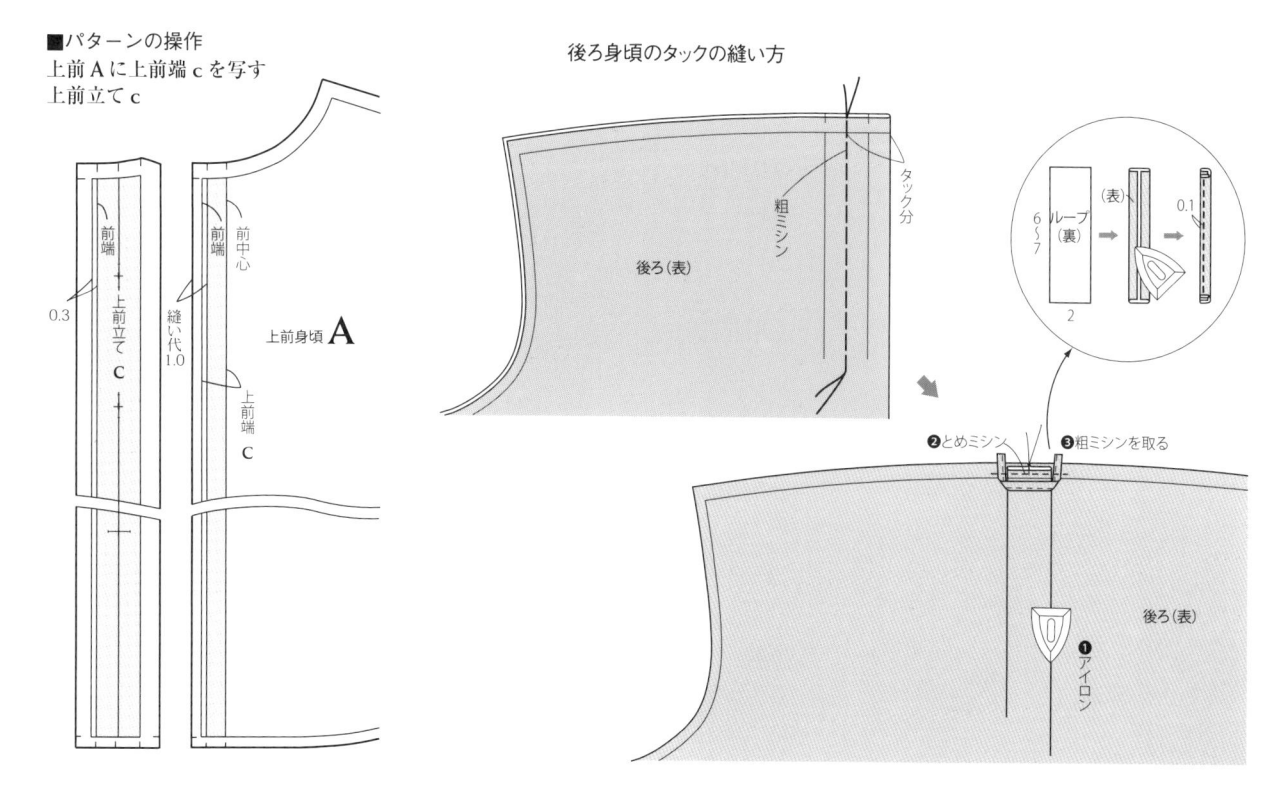

■パターンの操作
上前A に上前端c を写す
上前立て c

後ろ身頃のタックの縫い方

no.4 セミワイドスプレッドカラーの白いシャツ p.16

セミワイドスプレッドカラー + フレンチフロント + ラウンドカフス

■使用パターン（黒面）
上前身頃A・上前端a・下前身頃C・後ろ身頃D・ヨークF・袖G・カフスJ・剣ボロa・ガジェットN・衿R・台衿c

■本縫い順序

1. 前身頃の前端と裾の始末
2. 後ろ身頃のダーツを縫い、裾の始末
3. ヨークを作る
4. ヨークをつける
5. 衿を作り、つける
6. 袖口に剣ボロをつけ、ギャザーを寄せる
7. 袖をつける
8. 袖下と脇を縫う
9. カフスを作り、つける
10. ボタン穴かがりとボタンつけ

P.16の生地／ヘリンボーンドビーストライプ
P.17の生地／トリプルストライプ
使用量（P.16、P.17共通）
表布＝112cm幅 2m30cm
接着芯＝90cm幅 50cm
ボタンの大きさ＝1.3 1.1

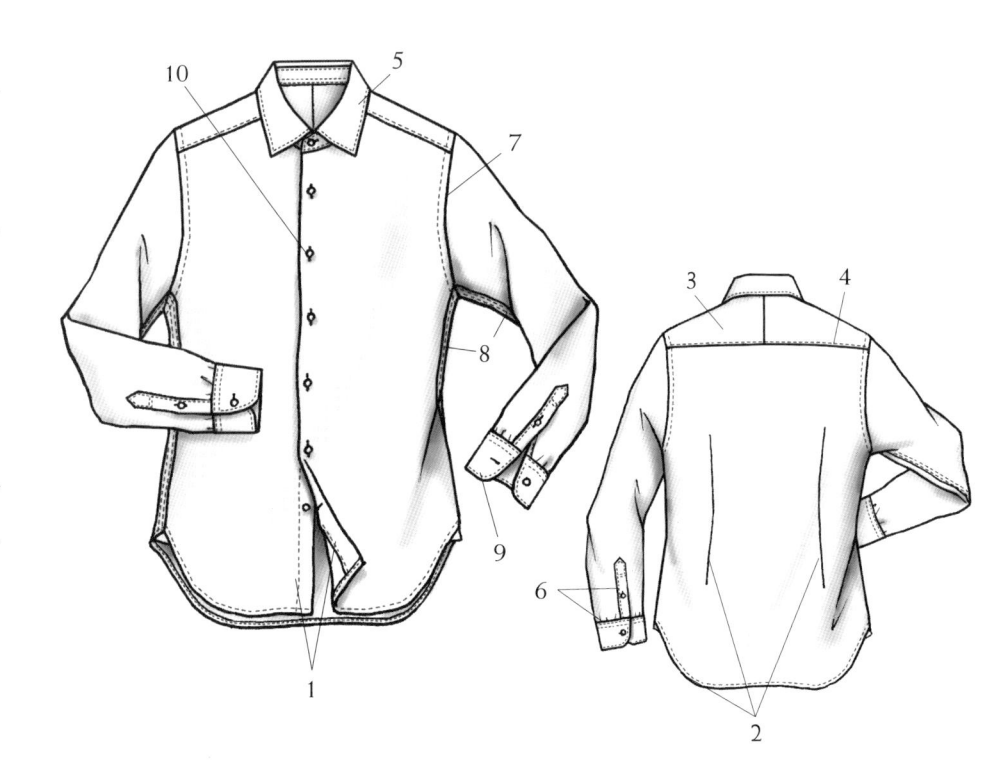

袖口のギャザーの寄せ方

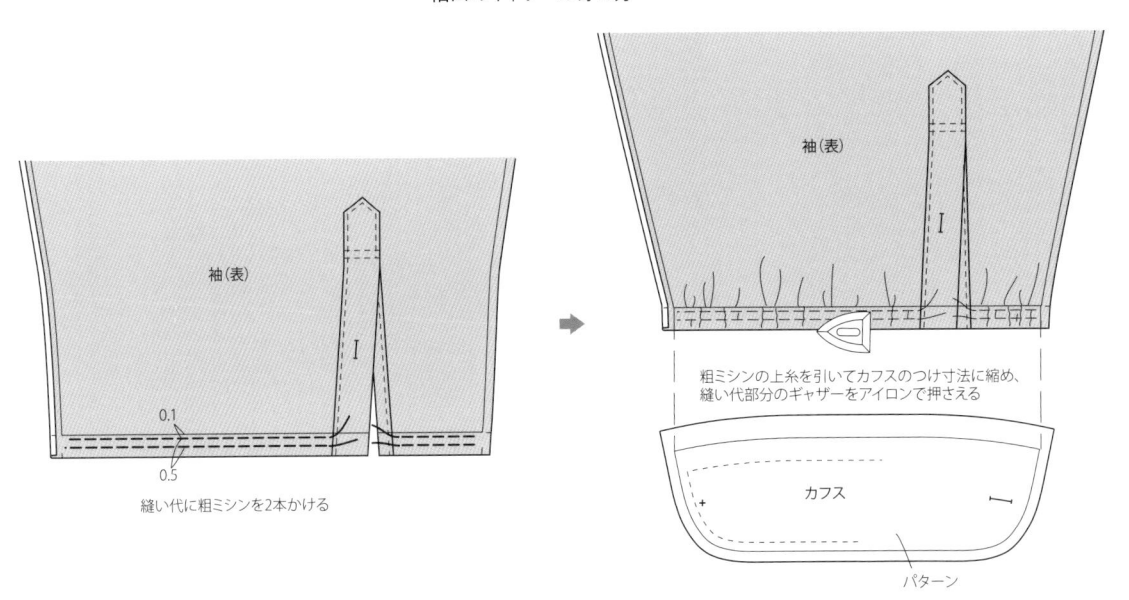

縫い代に粗ミシンを2本かける

粗ミシンの上糸を引いてカフスのつけ寸法に縮め、縫い代部分のギャザーをアイロンで押さえる

no.5 ターンダウンカラーのシャツ p.18

ターンダウンカラー + プラケットフロント + カッタウェーカフス

■使用パターン（黒面）
上前身頃A・上前端c・上前立てc・下前身頃C・後ろ身頃D・ヨークF・袖G・カフスI・剣ボロa・ガジェットN・衿S

■本縫い順序

1 前身頃の前端と裾の始末
2 後ろ身頃のダーツを縫い、裾の始末
3 ヨークを作る
4 ヨークをつける
5 衿を作り、つける
6 袖口に剣ボロをつける
7 袖をつける
8 袖下と脇を縫う
9 カフスを作り、つける
10 ボタン穴かがりとボタンつけ

P.18の生地／ドビーストライプ
P.19の生地／マルチストライプ
使用量（P.18、P.19共通）
表布 ＝110cm幅 2m30cm
接着芯 ＝90cm幅 50cm
ボタンの大きさ ＝1.3 1.1

■パターンの操作
上前Aに上前端cを写す
上前立てc
※63ページ参照

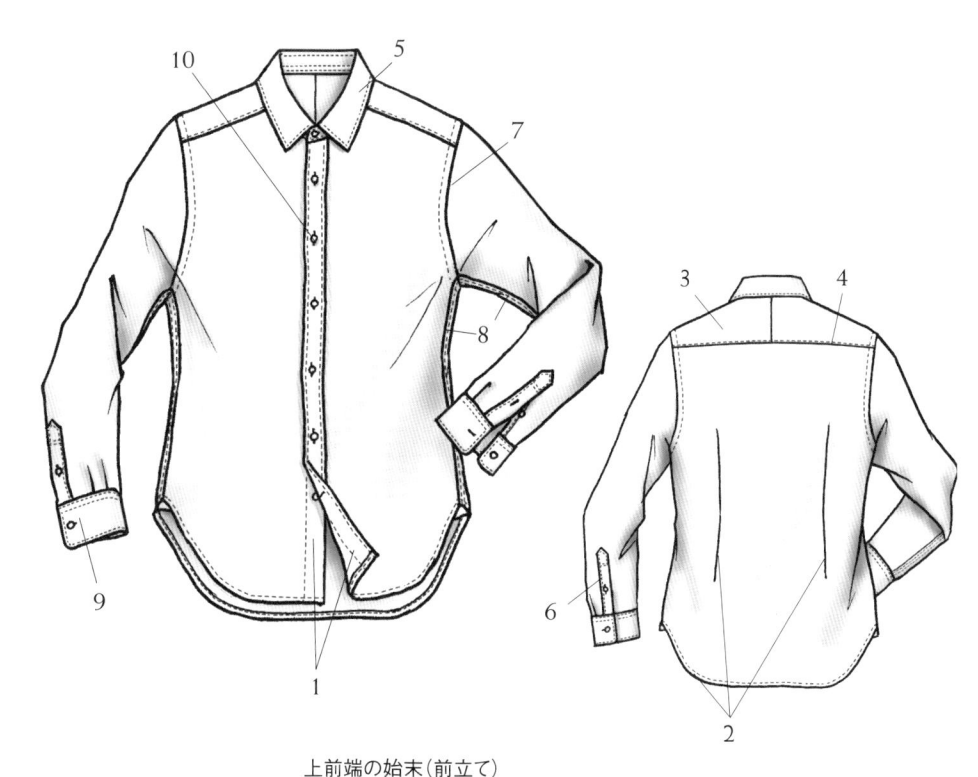

上前端の始末（前立て）

no.6 ドゥエボットーニのセミワイドスプレッドカラーシャツ p.20

ドゥエボットーニのセミワイドスプレッドカラー + フレンチフロント + カッタウェーカフス

■使用パターン（黒面）
上前身頃A 上前端a・下前身頃C・後ろ身頃D・ヨークF・袖G・カフスI 剣ボロa・ガジェットN・衿T 台衿d

■本縫い順序

1 前身頃の前端と裾の始末
2 後ろ身頃のダーツを縫い、裾の始末
3 ヨークを作る
4 ヨークをつける
5 衿を作り、つける
6 袖口に剣ボロをつける
7 袖をつける
8 袖下と脇を縫う
9 カフスを作り、つける
10 ボタン穴かがりとボタンつけ

P.20の生地 / 綾目の強いフランス綾
P.21の生地 / オックスフォード
使用量（P.20、P.21共通）
表布 =112cm幅 2m30cm
接着芯 =90cm幅 50cm
ボタンの大きさ =1.3 1.1

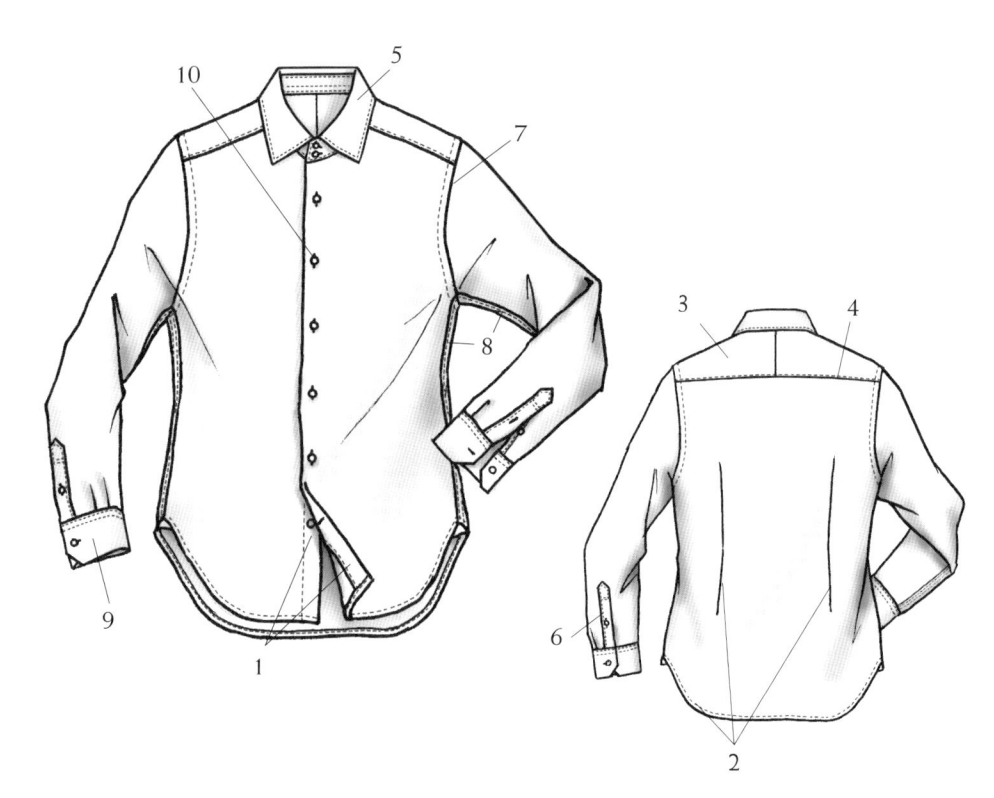

ボタンの糸足のつけ方

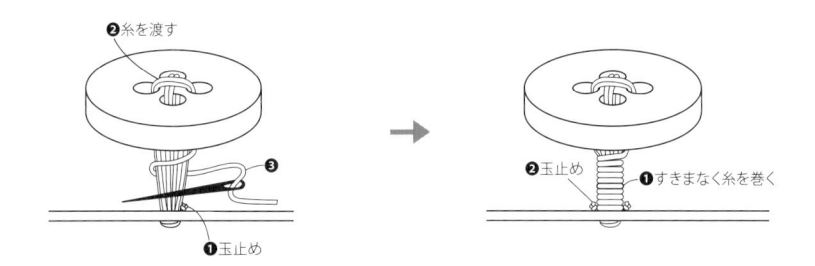

❷糸を渡す
❸
❶玉止め

❷玉止め
❶すきまなく糸を巻く

ボタンの糸のかけ方

げたがけ　クロスがけ　千鳥がけ

no.7 ウィングカラーのフォーマルシャツ p.22

ウィングカラー + フレンチフロントのひだ胸 + コンバーティブルカフス

■使用パターン（黒面）
前身頃B 前立て d・前身頃ヨークB・後ろ身頃D・ヨークF・袖G・カフスK 剣ボロa・ガジェットN・衿U

■本縫い順序

1. 前身頃のヨークを作り、つける
2. 前身頃の前端と裾の始末
3. 後ろ身頃のダーツを縫い、裾の始末
4. ヨークを作る
5. ヨークをつける
6. 衿を作り、つける
7. 袖口に剣ボロをつける
8. 袖をつける
9. 袖下と脇を縫う
10. カフスを作り、つける
11. ボタン穴かがりとボタンつけ

生地/120双糸エジプト綿のブロードクロス
使用量
表布 =140cm 幅 2m
接着芯 =90cm 幅 50cm
ボタンの大きさ =1.3 1.1

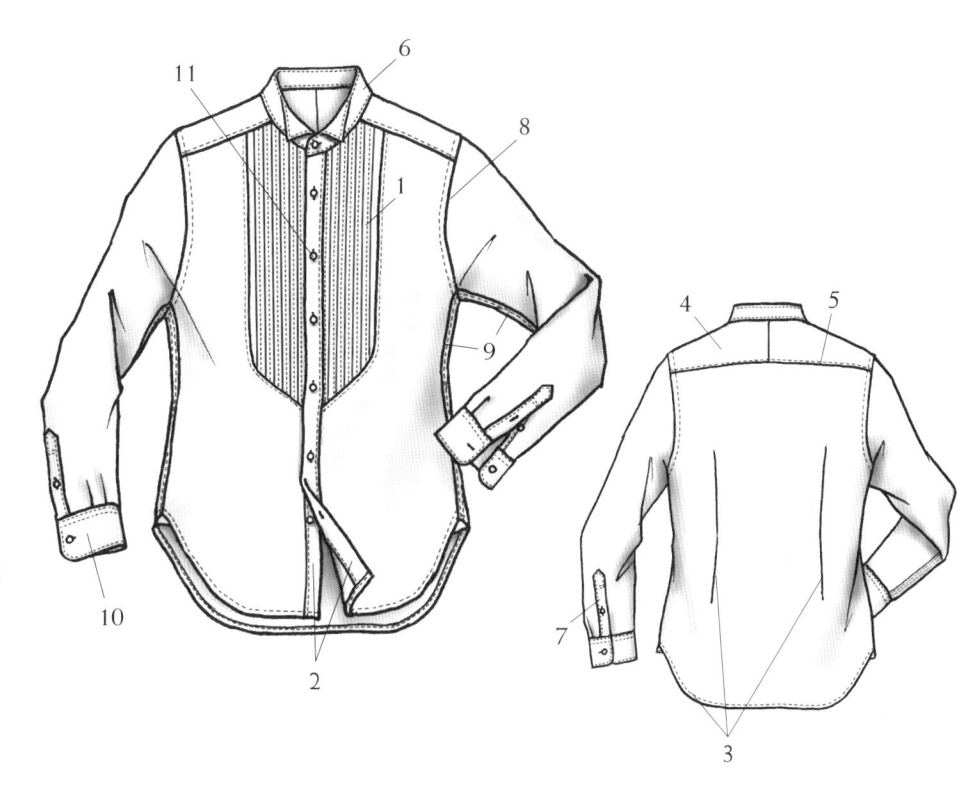

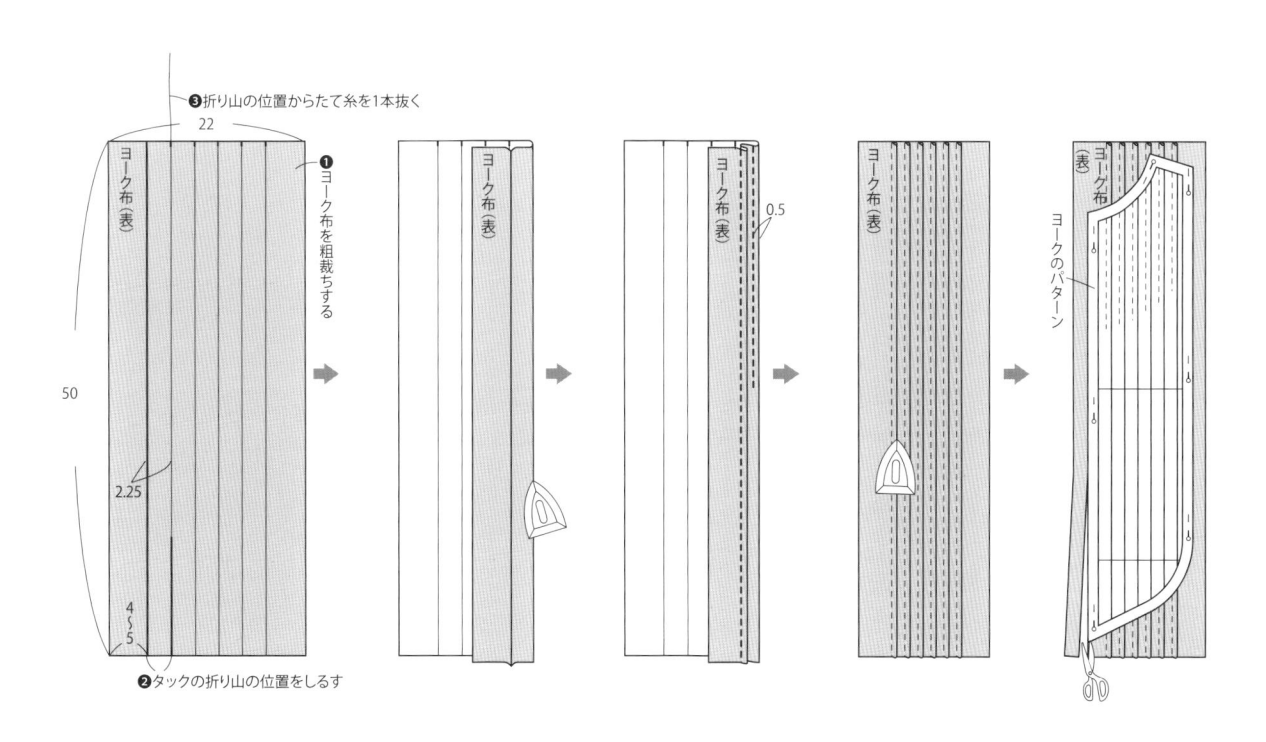

❸折り山の位置からたて糸を1本抜く
❶ヨーク布を粗裁ちする
❷タックの折り山の位置をしるす

no.8 ワイドスプレッドカラーの白いシャツ p.26

ワイドスプレッドカラー + フレンチフロント + ダブルカフス

■使用パターン（黒面）
上前身頃 A・上前端 a・下前身頃 C・後ろ身頃 D・ヨーク F・袖 G・カフス L・剣ボロ a・ガジェット N・衿 V・台衿 e

■本縫い順序

1. 前身頃の前端と裾の始末
2. 後ろ身頃のダーツを縫い、裾の始末
3. ヨークを作る
4. ヨークをつける
5. 衿を作り、つける
6. 袖口に剣ボロをつける
7. 袖をつける
8. 袖下と脇を縫う
9. カフスを作り、つける
10. ボタン穴かがりとボタンつけ

生地 / 小紋柄のドビークロス
使用量
表布 = 110cm 幅 2m30cm
接着芯 = 90cm 幅 50cm
ボタンの大きさ = 1.3 1.1

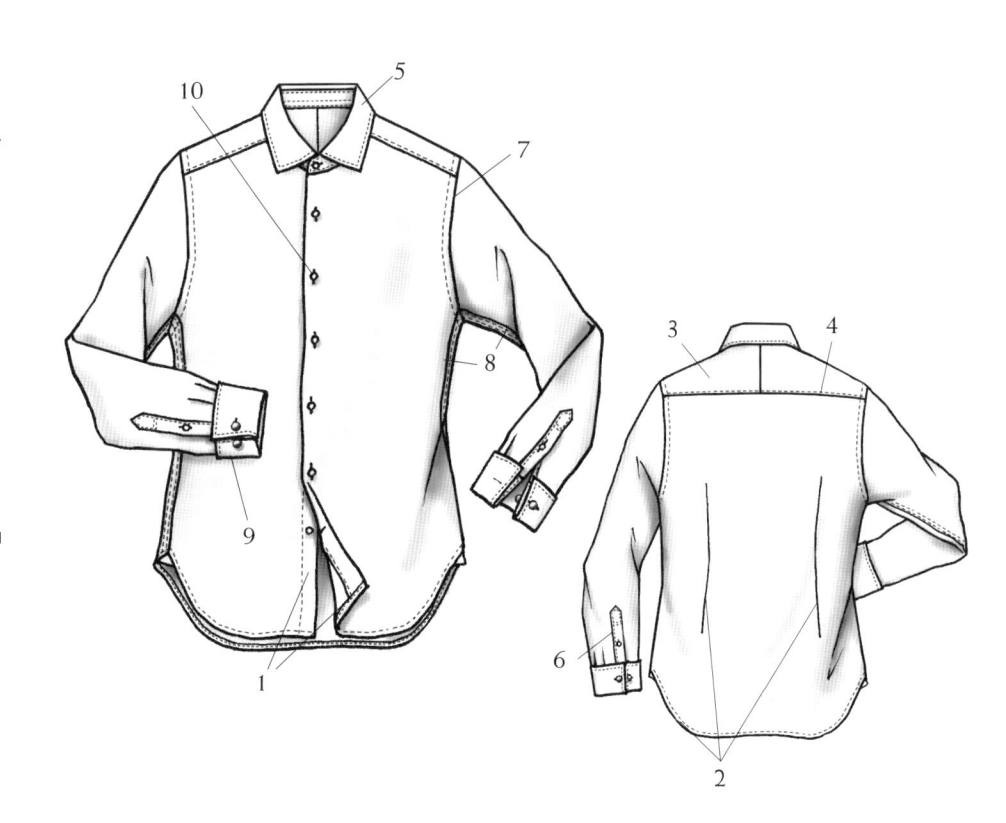

ダブルカフスの縫い方

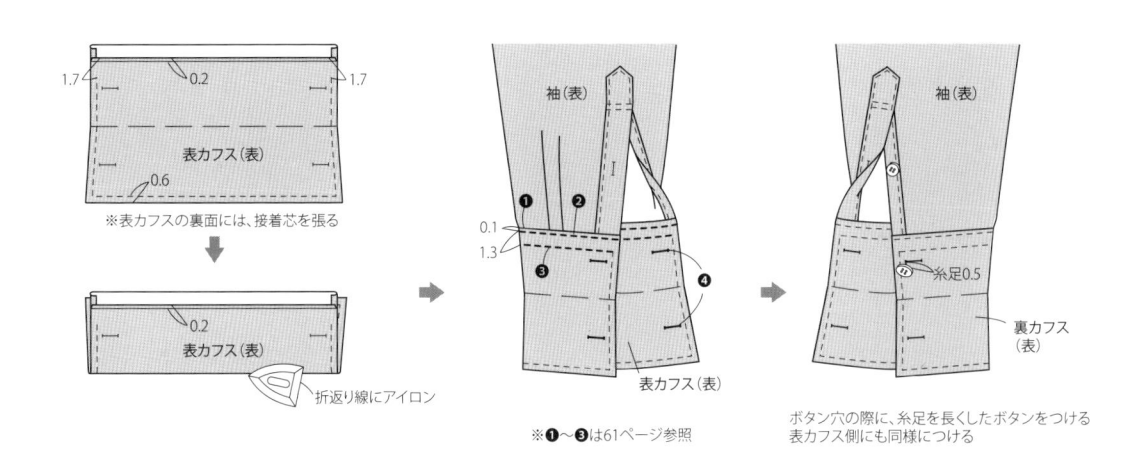

※表カフスの裏面には、接着芯を張る

折返り線にアイロン

※❶〜❸は61ページ参照

糸足0.5

ボタン穴の際に、糸足を長くしたボタンをつける
表カフス側にも同様につける

no.9 ラウンドカラーのクレリックシャツ p.27

ラウンドカラー + プラケットフロント + ラウンドカフス

■使用パターン（黒面）
上前身頃A・上前端c・上前立てc・下前身頃C・後ろ身頃E・ヨークF・袖G・カフスJ・剣ボロa・ガジェットN・衿W・台衿f

■本縫い順序

1. 前身頃の前端と裾の始末
   ※上前端の始末は65ページ参照
2. 後ろ身頃のタックを縫い、裾の始末
3. ヨークをつける
4. 衿を作り、つける
5. 袖口に剣ボロをつける
6. 袖をつける
7. 袖下と脇を縫う
8. カフスを作り、つける
   ※64ページ参照
9. ボタン穴かがりとボタンつけ

生地／身頃・ブロックストライプ、衿とカフス・白のオックスフォード
使用量（2点共通）
表布（身頃・袖分）＝112cm幅 2m20cm
表布（衿・カフス分）＝112cm幅 50cm
接着芯＝90cm幅 50cm
ボタンの大きさ＝1.3 1.1

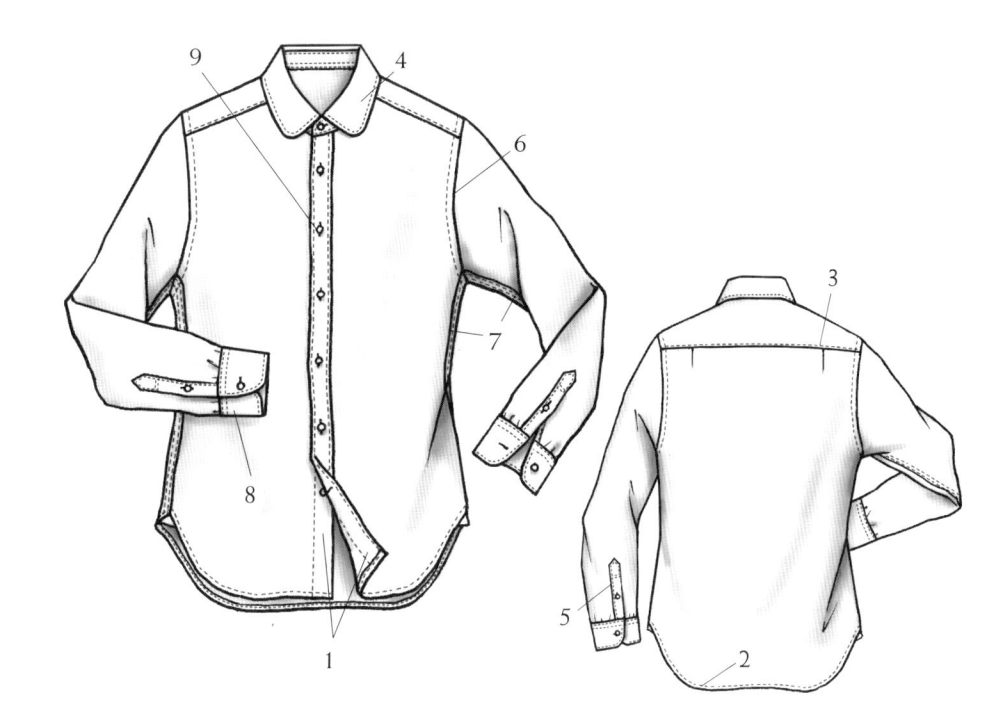

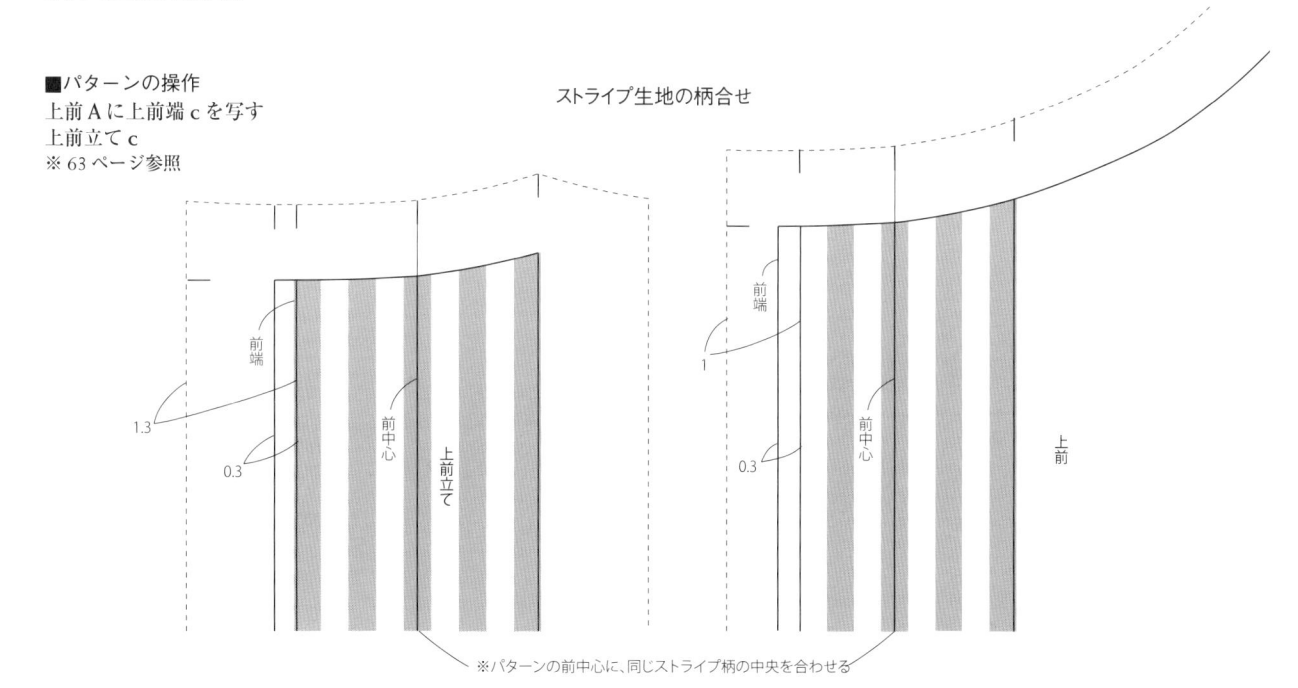

■パターンの操作
上前Aに上前端cを写す
上前立てc
※63ページ参照

ストライプ生地の柄合せ

※パターンの前中心に、同じストライプ柄の中央を合わせる

no.10 イタリアンカラーのボタンダウンシャツ p.28

イタリアンボタンダウンカラー + フレンチフロント + ターンナップカフス

■使用パターン（黒面）
前身頃A 前端a 見返しe・後ろ身頃E・ヨークF・袖G・カフスM 剣ボロa・ガジェットN・表衿X 裏衿X

■本縫い順序
1. 後ろ身頃のギャザーを寄せ、裾の始末
2. ヨークを作る
3. ヨークをつける
4. 見返しと衿をつけ、裾の始末
5. 袖口に剣ボロをつける
6. 袖をつける
7. 袖下と脇を縫う
8. カフスを作り、つける
9. ボタン穴かがりとボタンつけ

生地／ラメ糸を織り込んだドビークロス
使用量
表布 =110cm幅 2m30cm
接着芯 =90cm幅 60cm
ボタンの大きさ =1.3 1.1

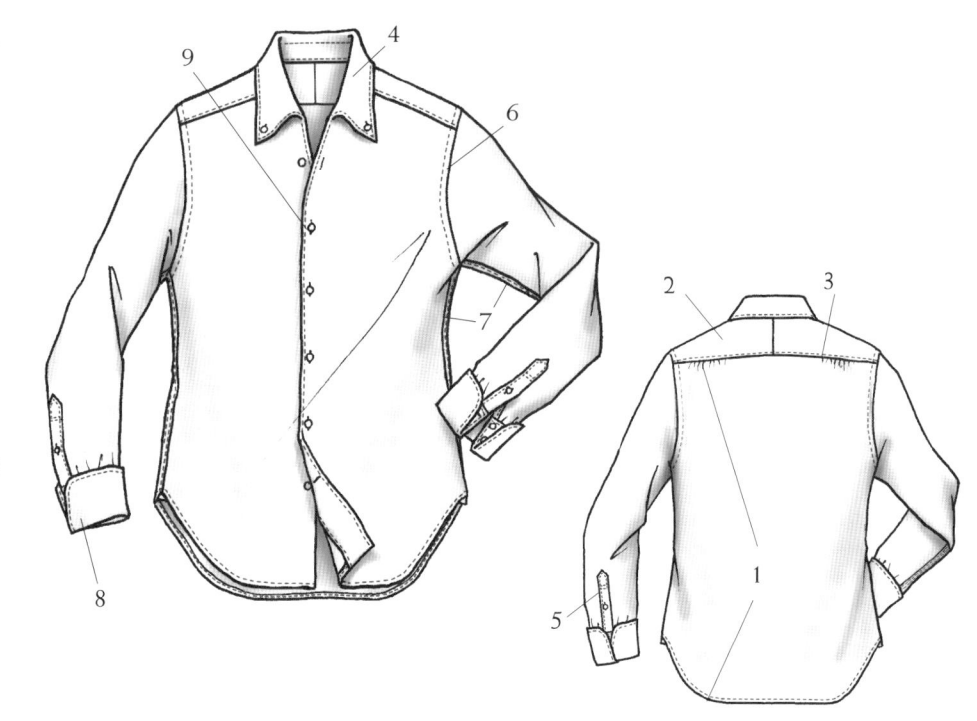

■パターンの操作
上前Aに上前端aの前端から縫い代1cmで裁つ

イタリアンカラーの縫い方

no.11 レギュラーカラーのカジュアルシャツ p.36

レギュラーカラー + プラケットフロント + シングルカフス

■使用パターン（緑面）
上前身頃A 上前立てa・下前身頃E・後ろ身頃F・ヨークJ・袖N・カフスP 剣ボロa・ガジェットQ
衿R 台衿a・ポケットW

■本縫い順序

1. 前身頃の前端と裾の始末
2. ポケットを作り、つける
3. 後ろ身頃のタックを縫い、裾の始末
4. ヨークをつける
5. 衿を作り、つける
6. 袖口に剣ボロをつける
7. 袖をつける
8. 袖下と脇を縫う
9. カフスを作り、つける
10. ボタン穴かがりとボタンつけ

P.36の生地 / ドビーストライプ
P.37の生地 / マルチストライプのクレープ
使用量（P.36、P.37 共通）
表布 =112cm 幅 2m40cm
接着芯 =90cm 幅 55cm
ボタンの大きさ =1.3 1.1

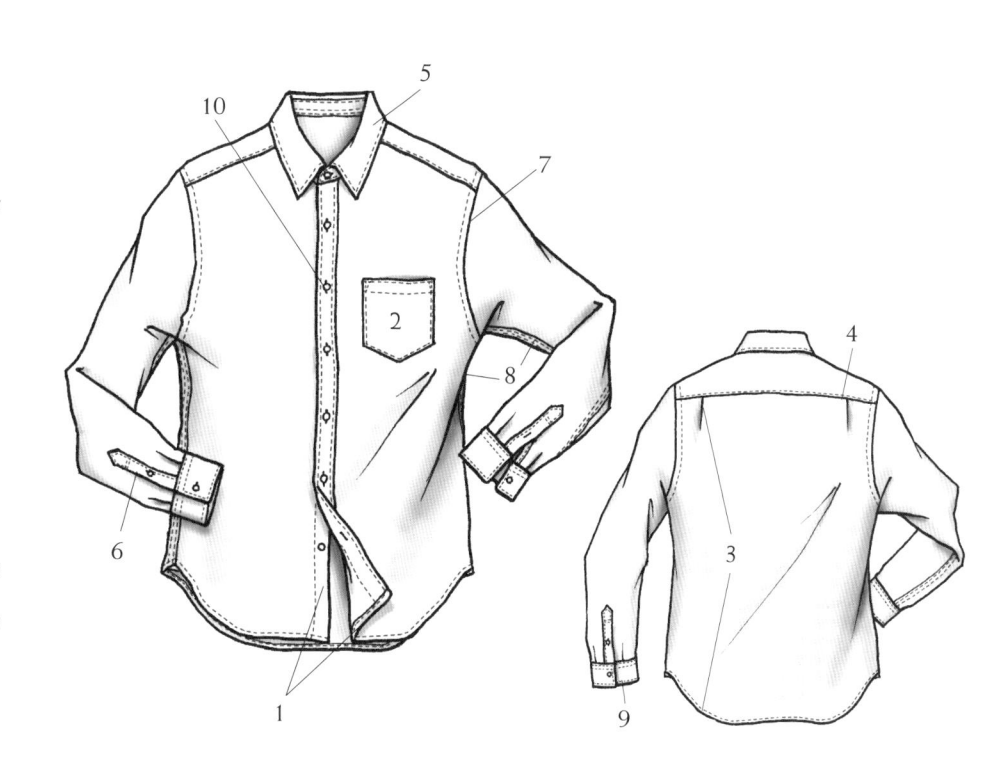

■ポケットつけ位置

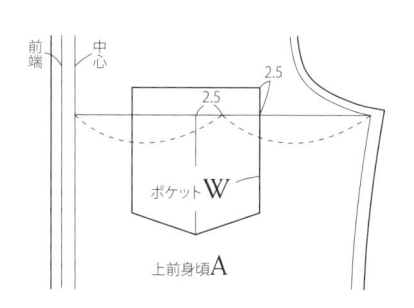

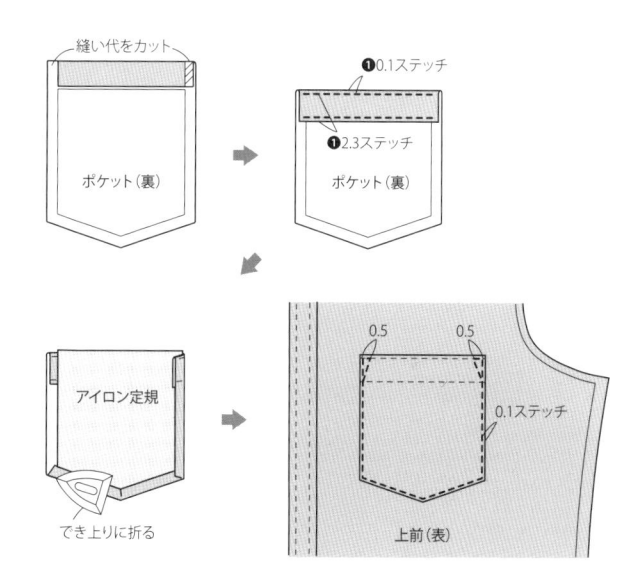

ポケットの縫い方

no.12 ワンナップカラーの半袖シャツ p.38

ワンナップカラー + フレンチフロント + ショートスリーブ

■使用パターン（緑面）
前身頃 B・後ろ身頃 H・ヨーク J・袖 O・衿 S・ポケット W

■本縫い順序

1. 前身頃の見返し奥と裾の始末
2. ポケットを作り、つける
3. 後ろ身頃のタックを縫い、裾の始末
4. ヨークをつける
5. 衿を作り、つける
6. 袖をつける
7. 袖下と脇を縫う
8. 袖口を始末する
9. ボタン穴かがりとボタンつけ

生地 / マルチストライプのクレープ
使用量
表布 = 114cm 幅 2m
接着芯 = 90cm 幅 80cm
ボタンの大きさ = 1.3 1.1

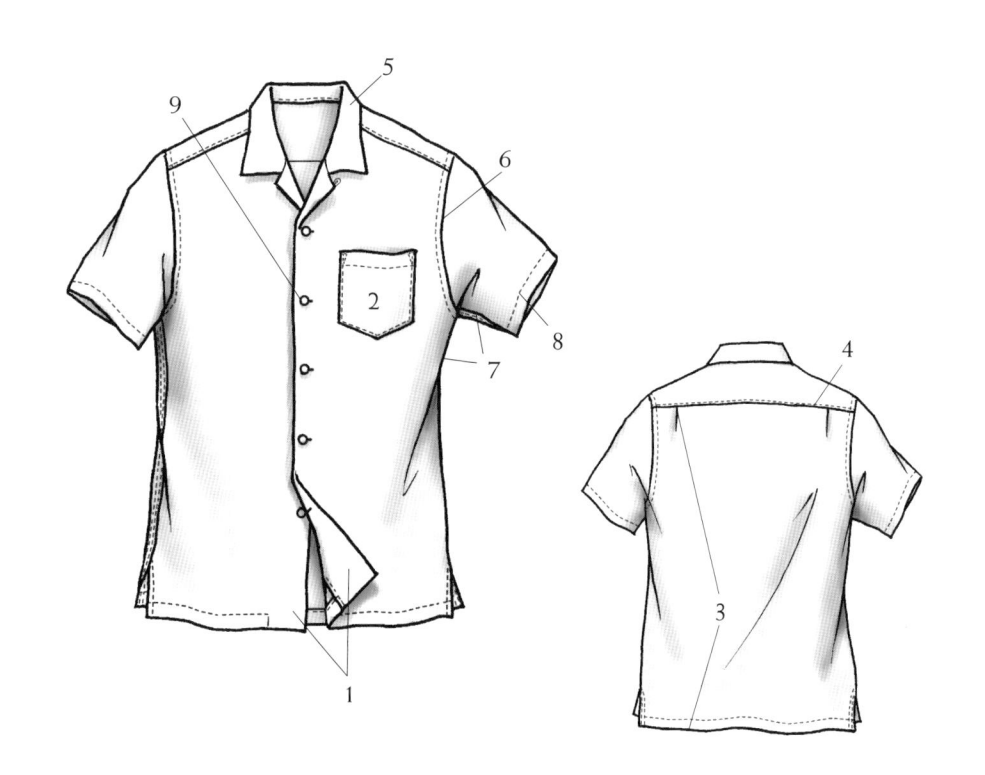

※ポケットつけ位置は71ページ参照

衿の縫い方

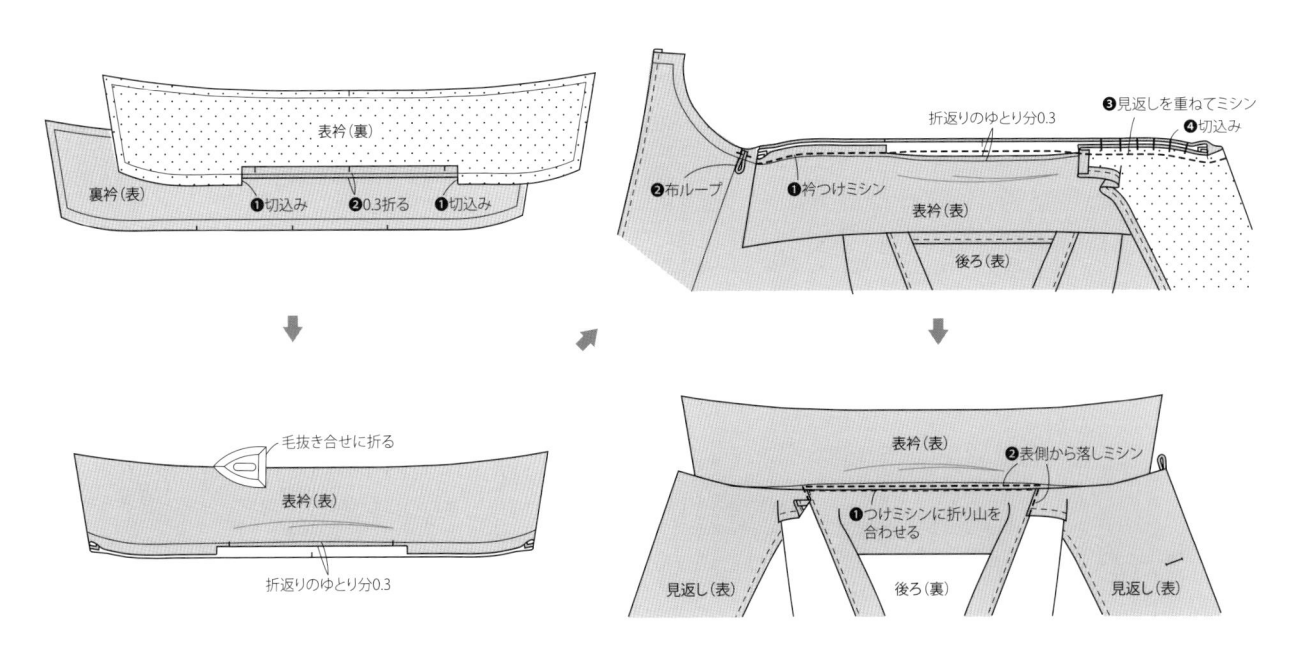

表衿（裏）
裏衿（表）
❶切込み　❷0.3折る　❶切込み

毛抜き合せに折る
表衿（表）
折返しのゆとり分0.3

❷布ループ　❶衿つけミシン
折返しのゆとり分0.3
❸見返しを重ねてミシン
❹切込み
表衿（表）
後ろ

表衿（表）　❷表側から落しミシン
❶つけミシンに折り山を合わせる
見返し（表）　後ろ（裏）　見返し（表）

no.13 ホリゾンタルカラーの半袖シャツ p.39

ホリゾンタルカラー + プラケットフロント + ショートスリーブ

■使用パターン（緑面）
上前身頃A 上前立てa・下前身頃E・後ろ身頃F・ヨークJ・袖O・ガジェットQ・衿T 台衿a・ポケットW

■本縫い順序

1. 前身頃の前端と裾の始末
2. ポケットを作り、つける
3. 後ろ身頃のタックを縫い、裾の始末
4. ヨークをつける
5. 衿を作り、つける
6. 袖をつける
7. 袖下と脇を縫う
8. 袖口を始末する
9. ボタン穴かがりとボタンつけ

生地／手前・刺し子ドビー、
中央・マルチストライプ、
奥・ドビーチェック
使用量（3点共通）
表布 =114cm 幅 2m
接着芯 =90cm 幅 55cm
ボタンの大きさ =1.3

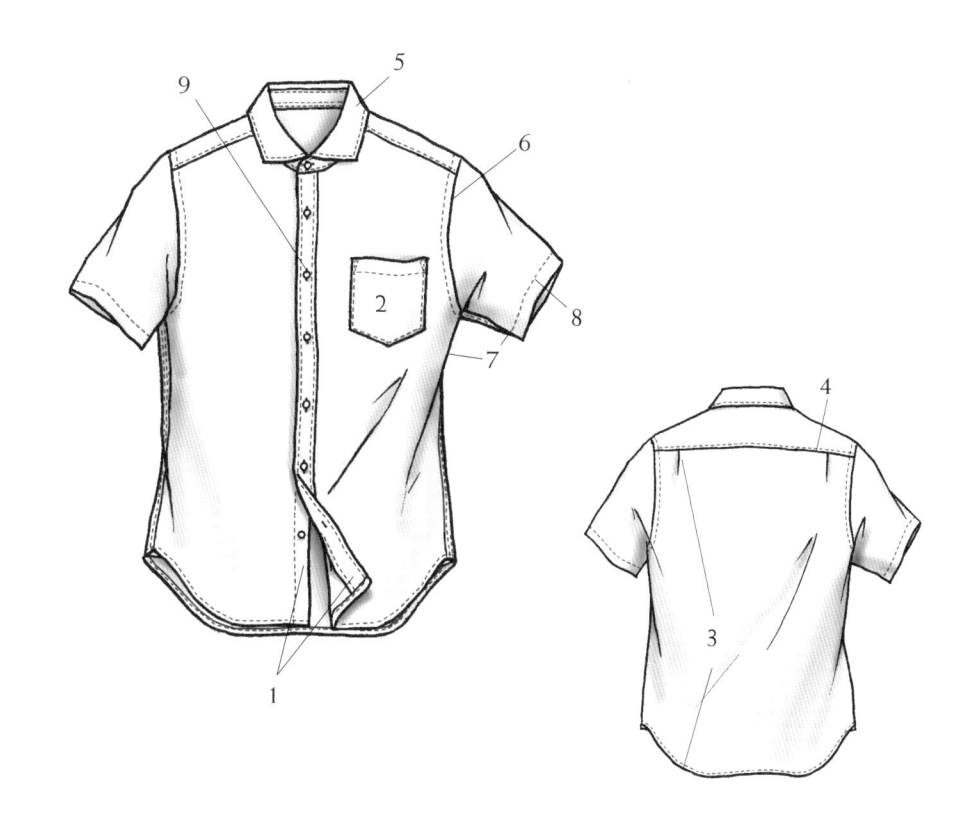

※ポケットつけ位置は71ページ参照

ショートスリーブの袖口の始末

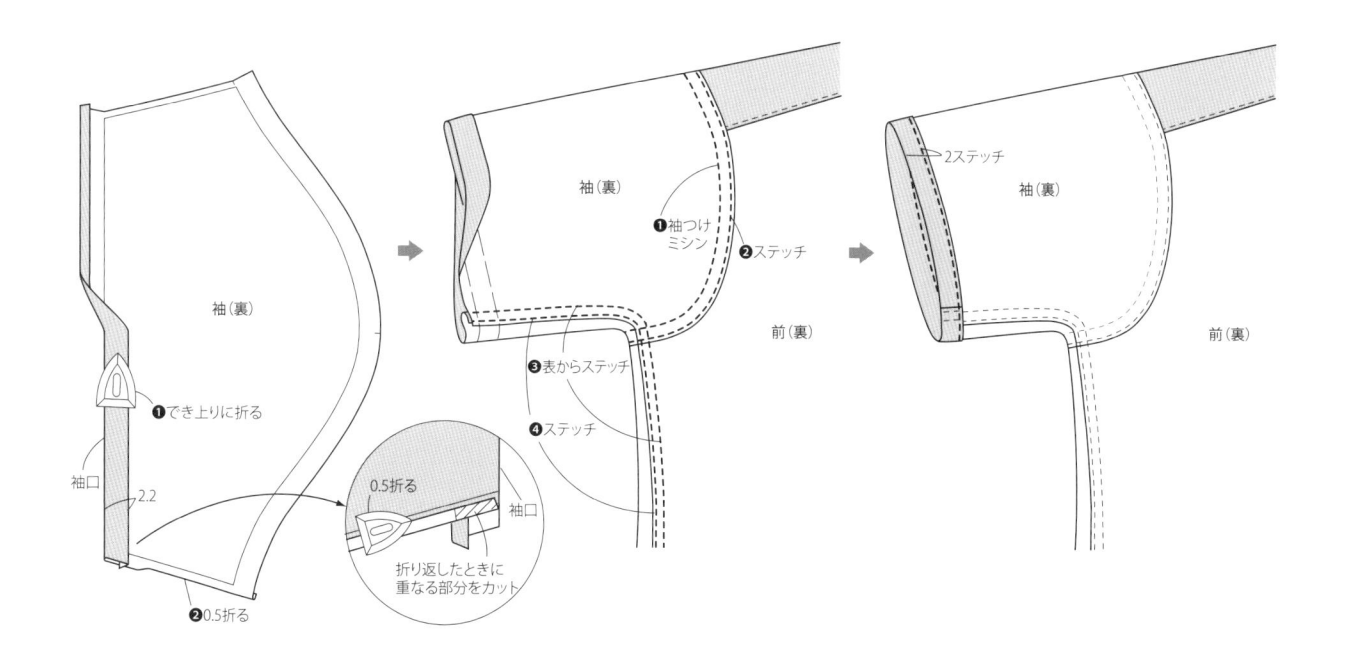

no.14 スタンドカラーのタックシャツ p.40

スタンドカラー + タックフロント + シングルカフス

■使用パターン（緑面）
前身頃C・後ろ身頃F・ヨークJ・袖N・カフスP剣ボロa・ガジェットQ・衿U

■本縫い順序

1. 前身頃のピンタックを縫い、裁断する
2. 前身頃の前端と裾の始末
3. 後ろ身頃のタックを縫い、裾の始末
4. ヨークをつける
5. 衿を作り、つける
6. 袖口に剣ボロをつける
7. 袖をつける
8. 袖下と脇を縫う
9. カフスを作り、つける
10. ボタン穴かがりとボタンつけ

P.40の生地/綿ローン
使用量
表布 =112cm 幅 2m50cm
接着芯 =90cm 幅 55cm

P.41の生地/リネン
使用量
表布 =140cm 幅 2m20cm
接着芯 =90cm 幅 55cm

ボタンの大きさ =1.3 1.1

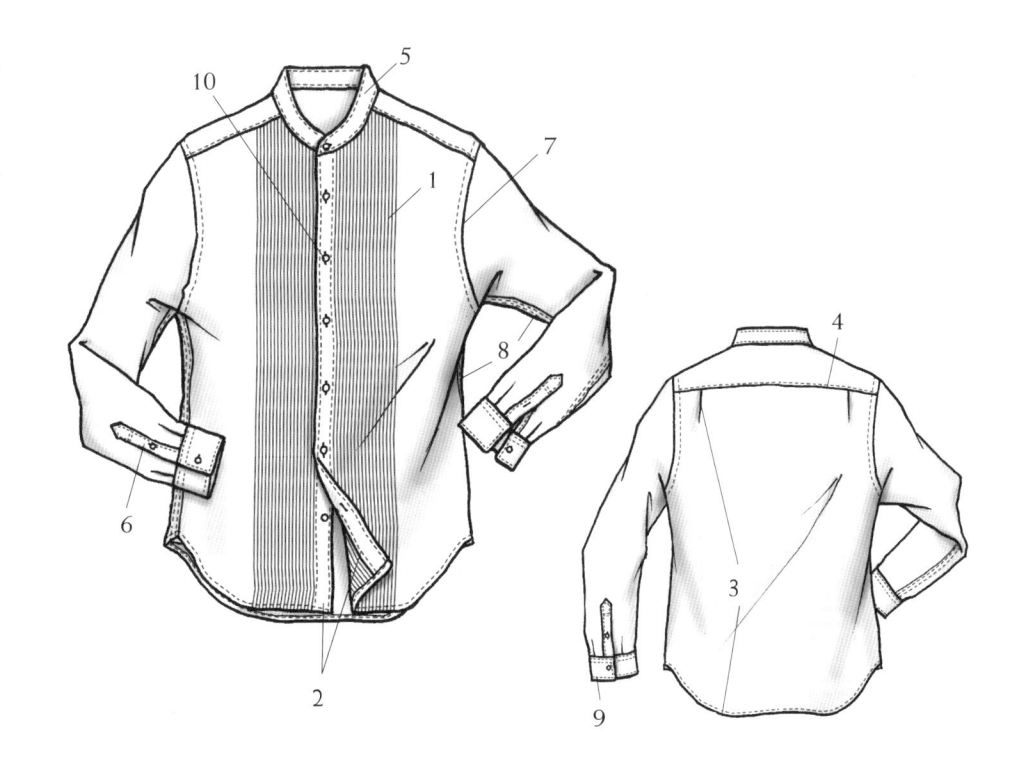

ピンタックの縫い方

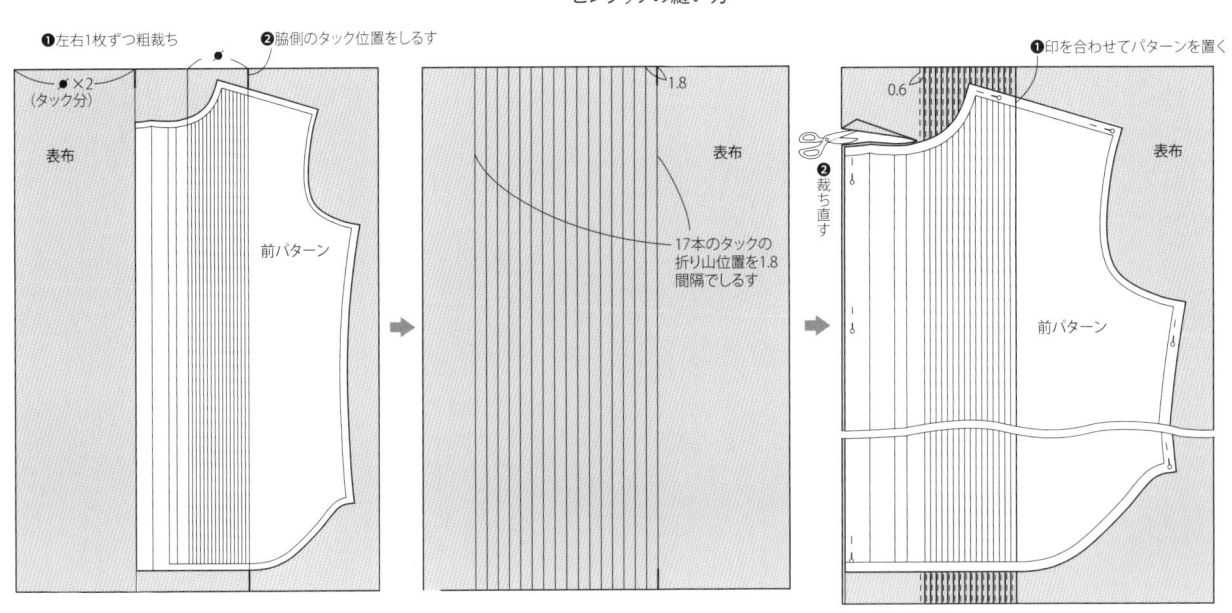

❶左右1枚ずつ粗裁ち　❷脇側のタック位置をしるす

×2
(タック分)

表布　前パターン

1.8

表布

17本のタックの折り山位置を1.8間隔でしるす

❶印を合わせてパターンを置く

0.6

❷裁ち直す

表布　前パターン

no.15 ミリタリーシャツ p.44

オープンカラー + 肩当て、エポーレット + シングルカフス

■使用パターン（緑面）
前身頃 D・後ろ身頃 I・肩当て M 肩章 M・袖 N・カフス P 剣ボロ a・ガジェット Q・衿 V
ポケット X フラップ X

■本縫い順序

1. 前身頃の前端と裾の始末
2. ポケットを作りつける
3. 後ろ身頃の裾の始末
4. 肩を縫う
5. 肩当てをつける
6. 衿を作り、つける
7. 袖口に剣ボロをつける
8. 袖をつける
9. 袖下と脇を縫う
10. カフスを作り、つける
11. 肩章を作り、つける
12. ボタン穴かがりとボタンつけ

生地/厚手のコットン
使用量
表布 =145cm 幅 1m80cm
スレキ =20 × 10cm
接着芯 =90cm 幅 85cm
ボタンの大きさ =1.7 1.5

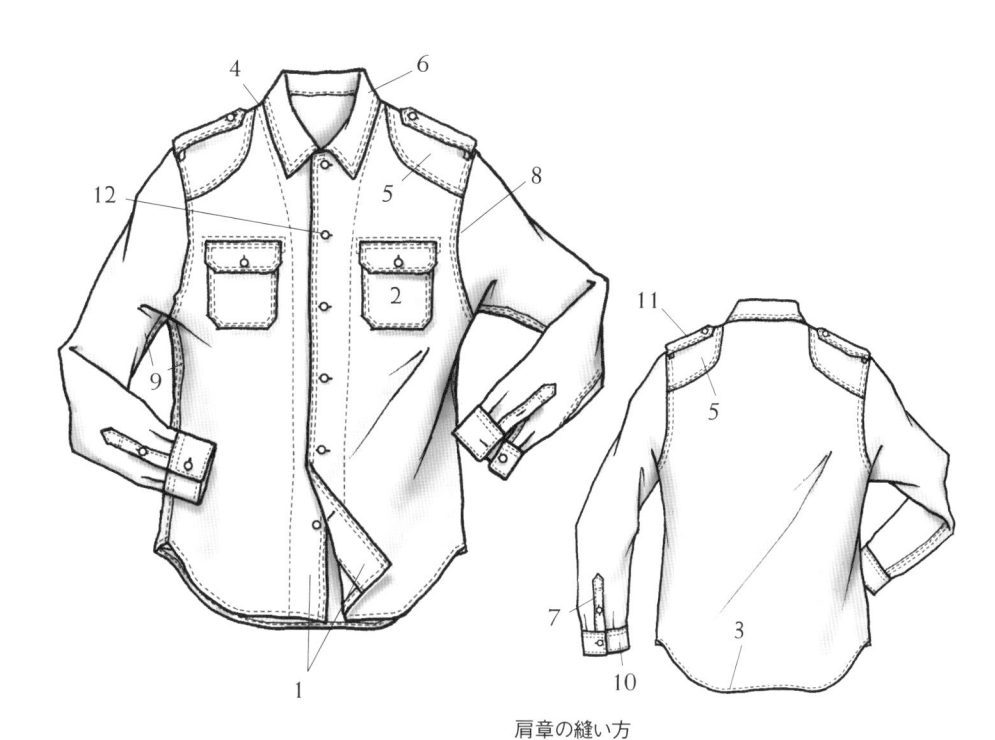

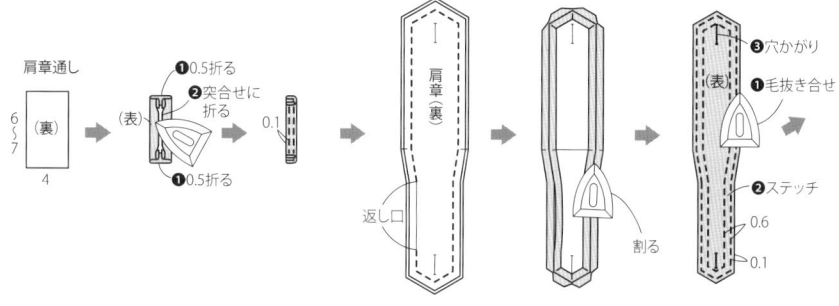

肩章の縫い方

■ポケットつけ位置

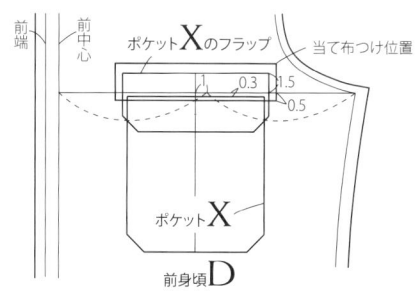

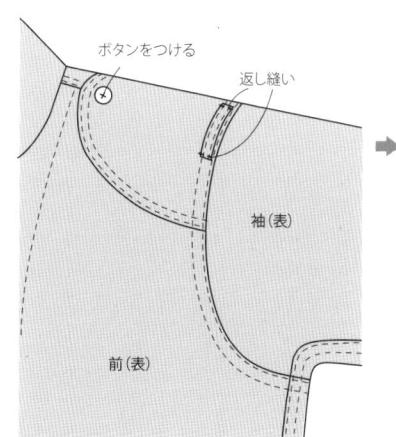

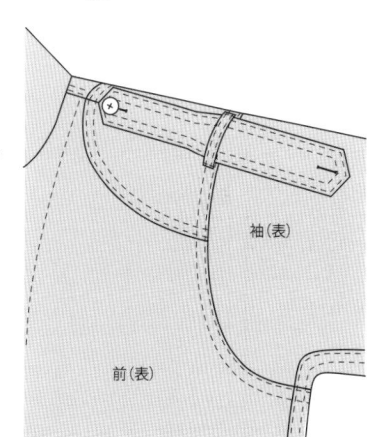

no.16 ワークシャツ p.45

レギュラーカラー + プラケットフロント + シングルカフス

■使用パターン（緑面）
上前身頃A 上前立てa・下前身頃E・後ろ身頃F・ヨークJ・袖N・カフスP 剣ボロa・ガジェットQ
衿R 台衿a・ポケットY フラップY

■本縫い順序

1. 前身頃の前端と裾の始末
2. ポケットを作り、つける
3. 後ろ身頃のタックを縫い、裾の始末
4. ヨークをつける
5. 衿を作り、つける
6. 袖口に剣ボロをつける
7. 袖をつける
8. 袖下と脇を縫う
9. カフスを作り、つける
10. ボタン穴かがりとボタンつけ

生地 / コットンツイル
使用量
表布 =145cm 幅 1m70cm
接着芯 =90cm 幅 55cm
ボタンの大きさ =1.3 1.1

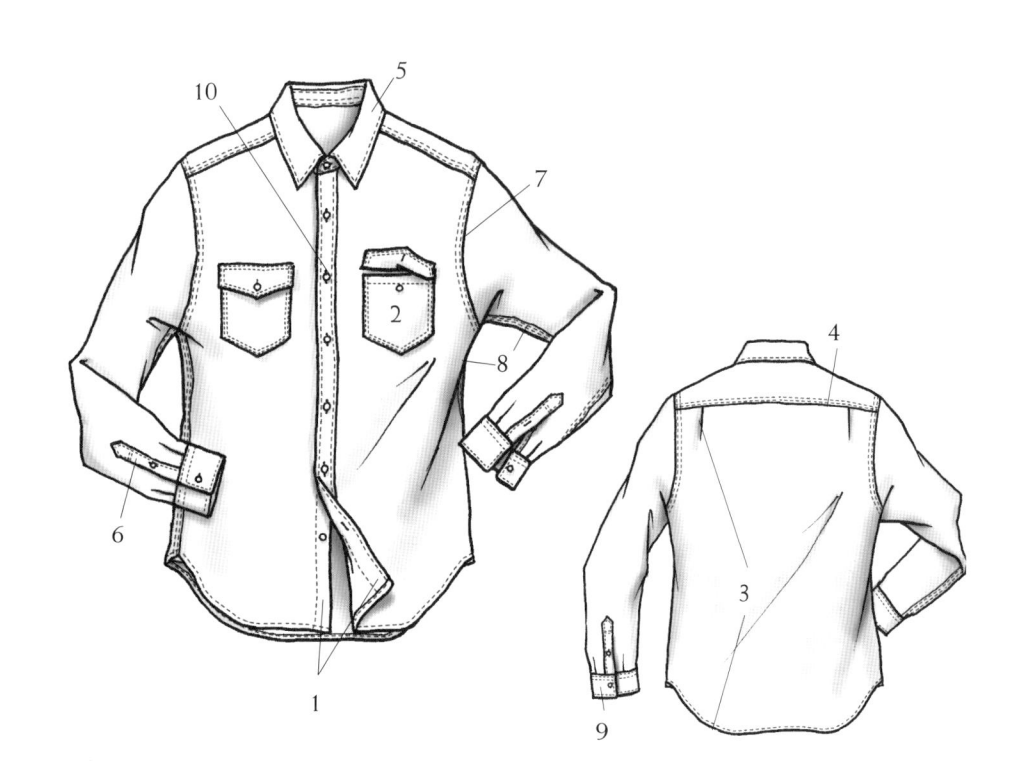

ポケットの縫い方

■ポケットつけ位置

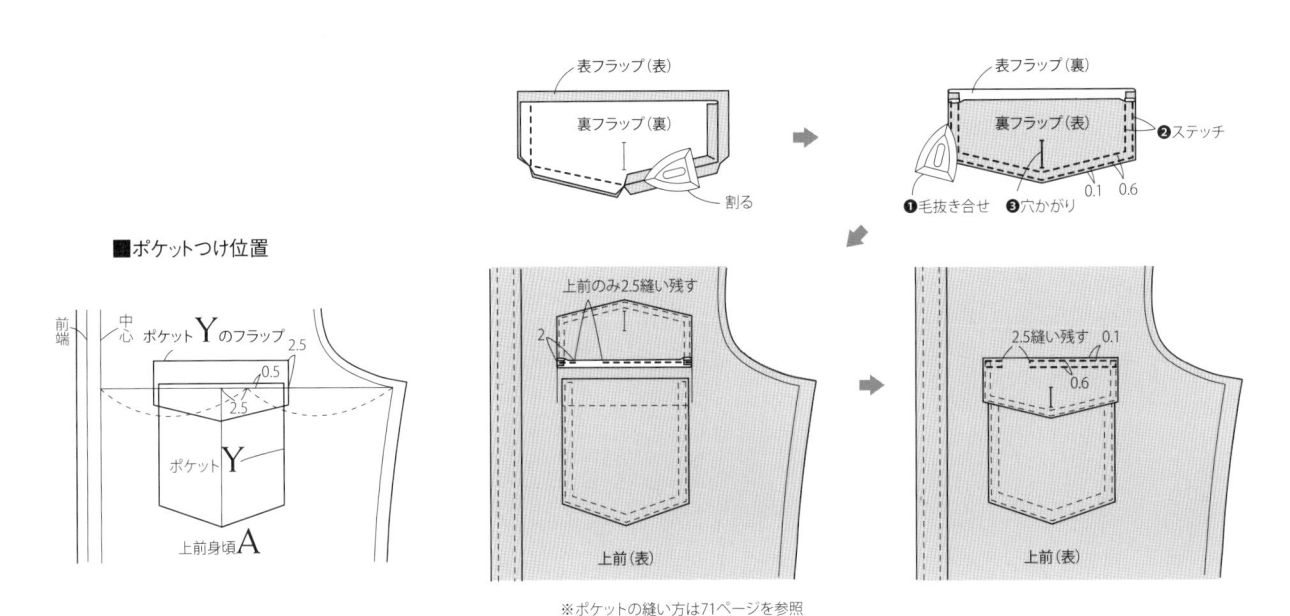

※ポケットの縫い方は71ページを参照

no.17 ウェスタンシャツ p.48

レギュラーカラー + プラケットフロント + ウェスタンヨーク + ツーボタンカフス

■使用パターン（緑面）
上前身頃A 上前立てa・下前身頃E・後ろ身頃G・ヨークK・飾り布L・袖N・カフスP 剣ボロa
ガジェットQ・衿R 台衿a・ポケットY フラップY

■本縫い順序

1 前身頃の前端と裾の始末
2 前身頃に飾り布をつける
3 ポケットを作り、つける
4 後ろ身頃のタックを縫い、裾の始末
5 ヨークをつける
6 衿を作り、つける
7 袖口に剣ボロをつける
8 袖をつける
9 袖下と脇を縫う
10 カフスを作り、つける
11 ドットボタンつけ

生地/12オンスデニム
使用量
表布 =146cm 幅 2m
接着芯 =90cm 幅 55cm
ドットボタンの大きさ =1.3

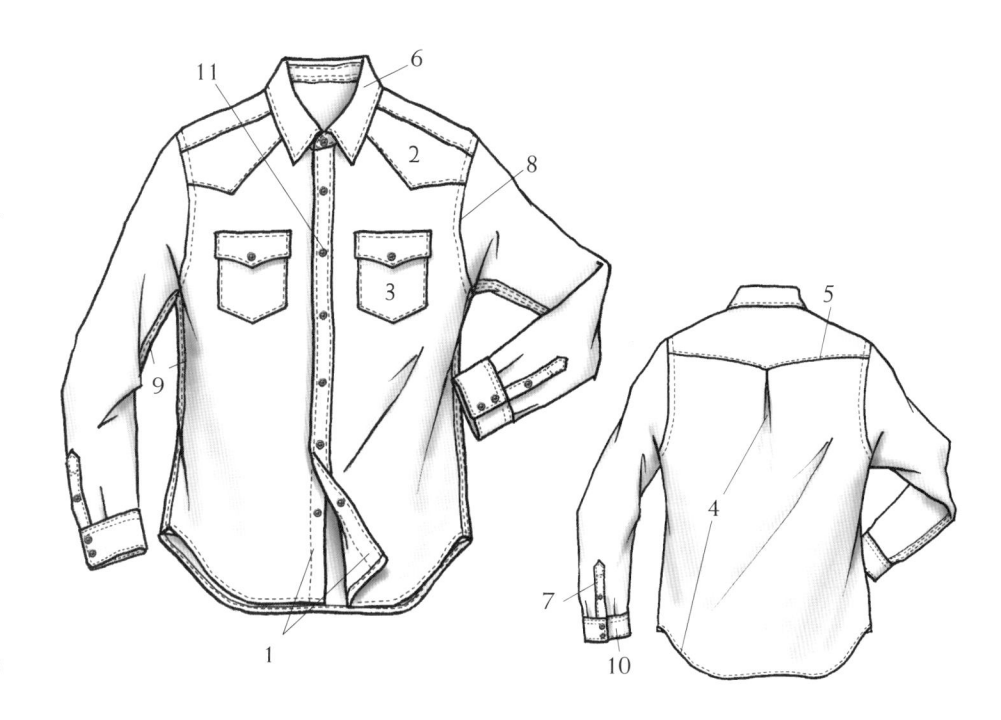

※ポケットつけ位置は76ページ参照

前飾り布のつけ方

no.18 プルオーバーシャツ p.49

レギュラーカラー + プルオーバーフロント + ツーボタンカフス

■使用パターン（緑面）
前身頃 A 前立て（短冊、持出し）b・後ろ身頃 F・ヨーク J・袖 N・カフス P 剣ボロ a・ガジェット Q・衿 R 台衿 a・ポケット Y フラップ Y

■本縫い順序

1. 前身頃の前あきと裾の始末
2. ポケットを作り、つける
3. 後ろ身頃のタックを縫い、裾の始末
4. ヨークをつける
5. 衿を作り、つける
6. 袖口に剣ボロをつける
7. 袖をつける
8. 袖下と脇を縫う
9. カフスを作り、つける
10. ドットボタンつけ

生地/コットンのタータンチェック
使用量
表布 =112cm 幅 2m50cm
接着芯 =90cm 幅 55cm
ドットボタンの大きさ =1.3

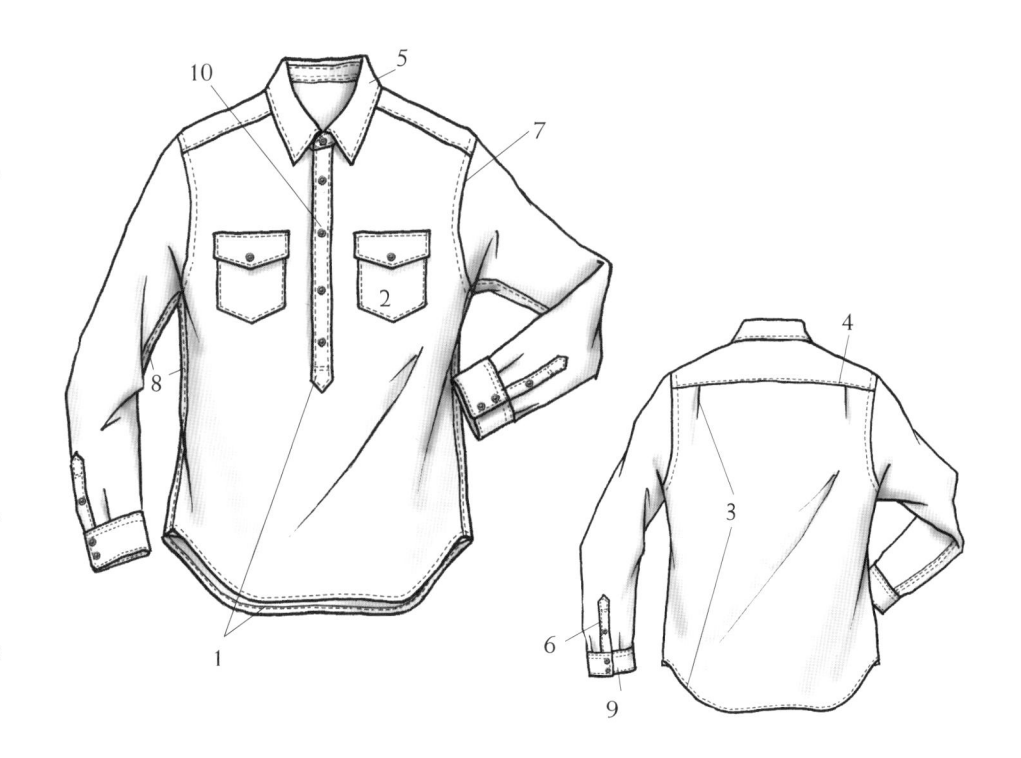

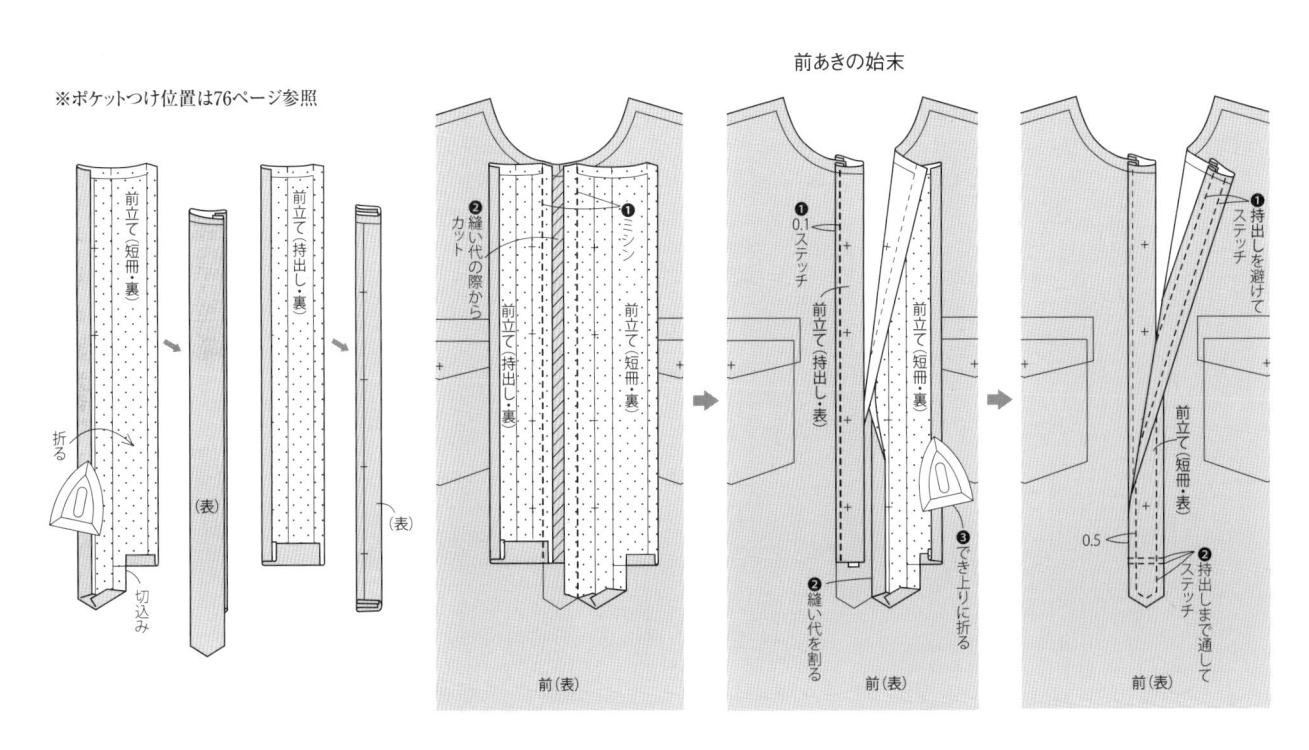

※ポケットつけ位置は76ページ参照

前あきの始末

no.19 ファスナーがポイントのカジュアルシャツ p.52

レギュラーカラー + プラケットフロント + シングルカフス

■使用パターン（緑面）
上前身頃A 上前立てa・下前身頃E・後ろ身頃F・ヨークJ・袖N・カフスP 剣ボロa・ガジェットQ
衿R 台衿a・ポケット（上前側、下前側）Z

■本縫い順序

1 前身頃の前端と裾の始末
2 ポケットを作り、つける
3 後ろ身頃のタックを縫い、裾の始末
4 ヨークをつける
5 衿を作り、つける
6 袖口に剣ボロをつける
7 袖をつける
8 袖下と脇を縫う
9 カフスを作り、つける
10 ドットボタンつけ

P.52 の生地 / コットン
P.53 の生地 / ウールツイード
使用量（P.52、P.53 共通）
表布 =145cm 幅 1m80cm
別布（裏台衿、裏カフス）
=90cm 幅 60cm
接着芯 =90cm 幅 55cm
ドットボタンの大きさ =1.3

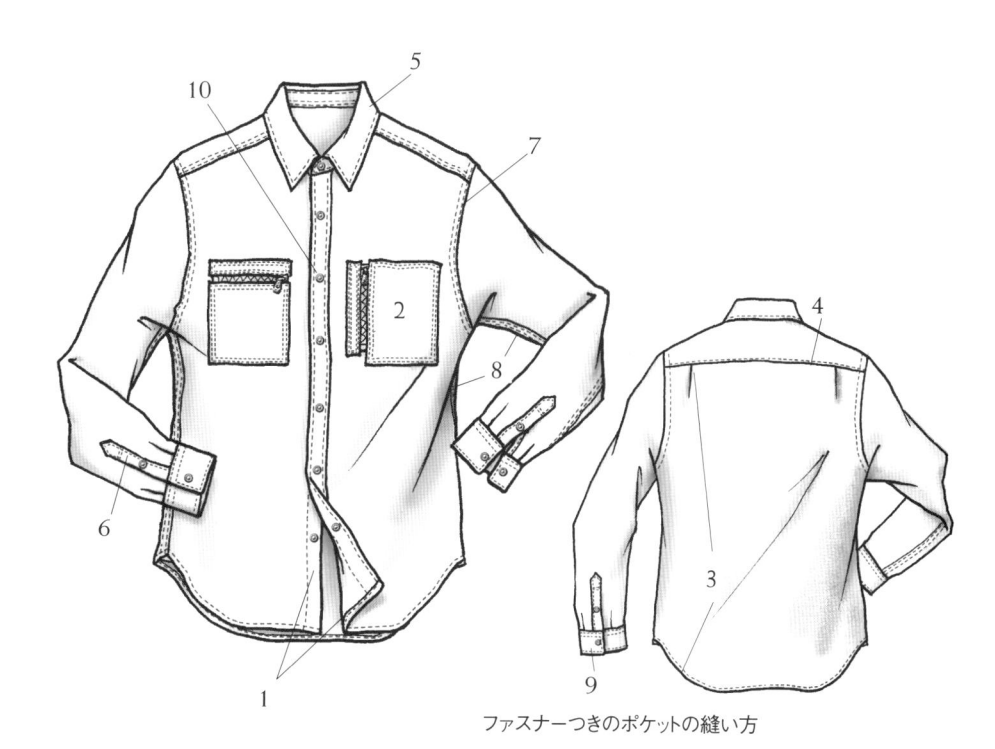

■ポケットつけ位置

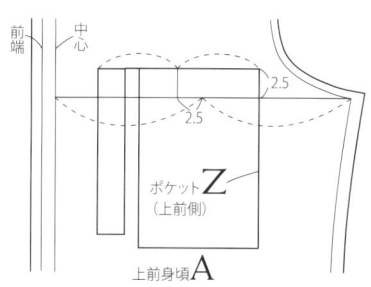

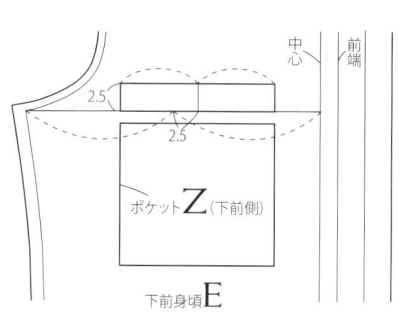

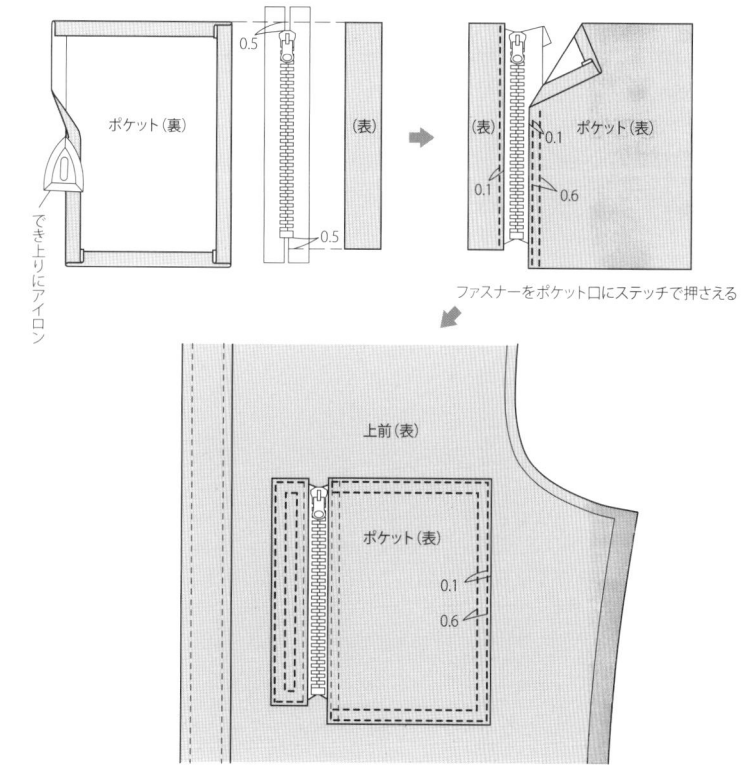

ファスナーつきのポケットの縫い方

嶋﨑隆一郎 Ryuichiro Shimazaki

文化服装学院アパレルデザイン科卒業後、天野勝デザイン室に入社し、『無印良品』のメンズデザインを担当。その後独立し『beige shop』『RYUICHIRO SHIMAZAKI homme』ブランドで東京コレクションデビュー。その後は大手アパレルのブランドディレクターやユニフォームデザインも数多く行い、現在はオリジナルの極薄両面レザーを駆使した『Raw+／ロゥタス』ブランドを創設。同ブランドのクリエーティブディレクター兼デザイナーとして日本のみならず世界各国でグローバルなデザイン活動を行っている。
主な著書に『男のコートの本』『男のエプロンの本』『ミリタリーウェアの本』文化出版局刊がある。
『Raw+／ロゥタス』http://www.rawtus.com

【好評既刊】

男のコートの本
本格的なメンズコートの本。トレンチコート、ピーコート、ダッフルコート、ステンカラーコートのベーシックなデザインを、布地違いを含めた13点で紹介。S、M、L、XLの実物大パターン2枚つき。

ミリタリーウェアの本
ミリタリーテイストの服は日常着として世代や性別を問わず定着してきています。本書は本格的なミリタリーウェアの本として、SからLサイズまでの展開でLサイズはメンズにも対応。S、M、Lの実物大パターンつき。

ブックデザイン　阪戸美穂
撮影　馬場わかな
パターン製作　COTTONTAIL
イラスト　杉山葉子
布地提供　旭陽、KIT
縫製協力　スペディーレ、ネーマ・トリアス
編集　平山伸子（文化出版局）

男のシャツの本

2006年8月13日　第1刷発行
2025年4月30日　第14刷発行

著　者　嶋﨑隆一郎
発行者　清木孝悦
発行所　学校法人文化学園 文化出版局
　　　　〒151-8524　東京都渋谷区代々木3-22-1
　　　　tel.03-3299-2489（編集）
　　　　tel.03-3299-2540（営業）
印刷・製本所　株式会社文化カラー印刷

©Ryuichiro Shimazaki 2006　Printed in Japan

本書の写真、カット及び内容の無断転載を禁じます。
・本書のコピー、スキャン、デジタル化等の無断複製は著作権法上での例外を除き、禁じられています。
・本書を代行業者等の第三者に依頼してスキャンやデジタル化することは、たとえ個人や家庭内での利用でも著作権法違反になります。
・本書で紹介した作品の全部または一部を商品化、複製頒布、及びコンクールなどの応募作品として出品することは禁じられています。
・撮影状況や印刷により、作品の色は実物と多少異なる場合があります。ご了承ください。

文化出版局のホームページ https://books.bunka.ac.jp/